医典重光

珍版海外中醫古籍善本叢書

醫門秘旨

明·張四維　輯録

鄭金生　整理

人民衛生出版社

·北京·

圖書在版編目（CIP）數據

醫門秘旨 /（明）張四維輯錄；鄭金生整理．北京：人民衛生出版社，2025. 8．--（醫典重光：珍版海外中醫古籍善本叢書）．-- ISBN 978-7-117-38324-0

Ⅰ. R2-5

中國國家版本館 CIP 數據核字第 202514XT84 號

醫典重光——珍版海外中醫古籍善本數字化資源庫
網　　址：https://ydcg.ipmph.com
客服電話：400-111-8166
聯係郵箱：ydcg@pmph.com

醫典重光——珍版海外中醫古籍善本叢書
醫 門 秘 旨
Yidian Chongguang——Zhenban Haiwai Zhongyi Guji Shanben Congshu
Yimen Mizhi

輯　　錄：明·張四維
整　　理：鄭金生
出版發行：人民衛生出版社（中繼綫 010-59780011）
地　　址：北京市朝陽區潘家園南里 19 號
郵　　編：100021
E - mail：pmph @ pmph.com
購書熱綫：010-59787592　010-59787584　010-65264830
印　　刷：北京盛通印刷股份有限公司
經　　銷：新華書店
開　　本：889 × 1194　1/16　　印張：49　　插頁：1
字　　數：477 千字
版　　次：2025 年 8 月第 1 版
印　　次：2025 年 8 月第 1 次印刷
標準書號：ISBN 978-7-117-38324-0
定　　價：699.00 元
打擊盜版舉報電話：010-59787491　E-mail：WQ @ pmph.com
質量問題聯系電話：010-59787234　E-mail：zhiliang @ pmph.com
數字融合服務電話：4001118166　E-mail：zengzhi @ pmph.com

醫典重光

珍版海外中醫古籍善本叢書

叢書顧問

王永炎

真柳誠〔日〕

文樹德 (Paul Ulrich Unschuld)〔德〕

叢書總主編

鄭金生

張志斌

叢書整理凡例

一、本叢書旨在收載複製回歸的海外珍稀中醫古籍。子書的書名一般以扉頁名稱爲準。無書扉頁者，以其卷首所題書名爲準，但『新刊』『新編』『校正』之類的修飾詞不放進書名。

二、每種古醫籍之前有『提要』，主要介紹作者（朝代、姓名字號、籍貫，生活時間、簡要生平、業績、撰寫此書的宗旨等），書籍名稱，卷數，影印底本的基本形製、刊刻年代、堂號、序跋題識等，主要内容與特色，以及書目著録與底本流傳簡况。

三、叢書中的每種子書均依據影印本的實際標題層次編製目録。卷數與卷名爲一級，篇名爲二級。必要時出示三級目録。其中本草書的藥名爲最後一級。單純醫方書收方甚多者以歸納方劑的方式（如病名、功效等）爲最後一級目録，收方不多者可以方名爲最後一級目録。凡新擬篇目名均用六角符號『〔〕』括注。

四、影印本對原書内容不删節、不改編，盡力保持原書面貌，因此原書可能存在的某些封建迷信内容，以及当今不合時宜的藥物（如瀕臨滅絶的動植物等）不便删除，請讀者注意甄别，切勿盲目襲用。

五、本叢書采用影印形式，最大限度地保留原書信息，如眉批、句讀、圈點、補注、批語、印章、墨丁等，并保持古籍筒子頁甲面、乙面的對照關係，以及一切對版本鑒定、學術研究有價值的重要信息。在此基礎上，本叢書爲體現影印本的文獻價值和應用價值，將仔細檢查有無錯簡、缺頁現象，若有則盡力予以調整、補缺，并在不損傷原書文字的前提下，盡力消除污髒殘損痕迹，以利閲覽。

提要

醫門秘旨爲綜合性臨床醫書，輯録者爲明張四維，字國本，别號筠亭，古皖懷寧（今屬安徽）人。其父憨仙君本爲郡弟子員，因母病而棄儒業醫，頗有醫名。張四維也曾習儒，但自敘『心弗敏也，故多愚且病』，遂從其父習醫，廣讀醫書，潛心臨床診治，醫名日盛，『四方迎至，及不遠數百里，就而瘳者無虚日。醫案積如山，將百千種』，人稱儒醫。

張氏主要活動時間在嘉靖至萬曆初期。他認爲以藥活人，未能博施久遠，故集所見聞，及其父子生平治療經驗，彙成醫門秘旨（1576年）15卷。該書前三卷輯録前人之五運六氣、標本經絡、藥性病機等論，以示『醫貴明於經，病貴明於論』。卷四至卷十二論病，以六氣（風寒暑濕燥火）、常見雜病（瘧痢痰驚、血氣諸痛等）爲門，又或按病位（頭眼耳鼻等），或按婦、兒、外科分卷，類列諸病。卷十三、十四羅列常用雜方，卷十五爲炮煉製造，并録罕見于本草之藥十種。

該書之精華主要見於論病九卷。每病先出短論，輯録前人脉論、病因病機精要之言，其中尤以元朱丹溪、明王節齋等元明醫家之論爲多。此後則出示該病常用經驗之方，并常在每病之末的『鄙論』下闡述作者個人歸納的診治要點與臨證心得，其中不乏原創之説與經驗之談。若干病證之後，間或列舉其父子經治之醫案，以證其説。例如小兒痘瘡，張氏所論簡潔明瞭，強調先明確診斷，確診之後注重護理得當，令痘自然發出。已發之痘宜辨輕重，直言『輕者不必服藥，重者須要斟酌』，并列述不爲害、不爲凶之徵兆，以解病家之驚疑恐懼。讀張氏沉着自信之論，即知其治病歷練之深。

張氏處方用藥亦頗簡要，且特別關注簡驗便廉之方及本草未載經驗有效之藥。例如『咽喉』病下，張氏云：『余凡遇喉中腫痛，單用川牛膝根研爛，取汁和涼水服之，有效。土牛膝亦可。』在末卷『藥性拾遺』中，張氏早於李時珍本草綱目，記載了著名止血活血藥三七草之產地、形態、效用，謂此藥『邊上將官寶之爲珍』『血症之奇藥也』。又記載『靈山柴』，即新生兒臍帶，謂有『行滯氣，破惡血，去胎毒，盈元氣，長精髓』之功。這些源於實踐經驗的文字，才是該書最有價值的『秘旨』。

醫門秘旨不見於中國古代書目記載。日本多紀元胤醫籍考首載此書，僅摘引有關作者的簡介。今影印所用底本爲日本宮內廳書陵部所藏明萬曆間同安張氏恒德堂刊本，共4册。書號：404-10。版框高18.6釐米，寬12.5釐米。每半葉10行，行21字。白口，上黑魚尾，四周雙邊。書口題書名『醫門秘旨』。計15卷。該本卷首依次爲萬曆丁丑（1577年）顏素序、萬曆庚辰（1580年）任可容敘言。此後題『醫門秘旨一卷/古皖筠亭張四維輯錄』。又次第羅列9位古代名醫、『各官匾額』『各宦詩文』、萬曆四年（1576年）張四維『自叙』『總目』『凡例』等。書末有萬曆戊寅（1678年）唐詩『後序』。序後有牌記『同安張氏恆德堂刊』。卷首有藏書印二枚：『何繼冲印』『帝室圖書之章』。經考定，此本爲醫門秘旨的初刊本（孤本）。整理此本時發現有裝訂錯簡4處，印刷錯簡兩處，且有兩處脱葉。

此外，日本國立公文書館內閣文庫藏該書日本江户抄本一部、明末金陵文樞堂刻更名僞托之書一部。據考江户抄本的底本即此初刊本，抄寫時無任何校改。文樞堂刻本更名爲醫門正宗，托名王宇泰原輯、李仕材重定、薛己輯錄。經比較考察，此翻刻本的底本亦爲恆德堂本，除删除底本卷首與後序外，正文依底本，但有少數校改，裝訂錯簡較少，且有底本原缺的脱葉，可補底本之不足。此兩本均係轉抄或删節翻印，但可供考察底本錯簡，補齊底本缺葉、葉面漫漶處等，使成完帙。例如底本卷一第21葉甲面、卷十五『藥性拾遺』一節標題後一整葉（甲乙兩面）均漫漶不清，今影印時用文樞堂本相對應之葉替換之。

基於上述考察結果，本次影印底本仍確定爲明萬曆張氏恆德堂本，并在影印時調整原本錯簡處、增補缺葉處加注説明。

目錄❶

❶ 目錄：原書有總目與各卷分目錄，但其中不規範處甚多，故今依據原書實際内容新編目錄。

❷ 序：此下原有『一卷』，乃誤寫，序屬於卷首，非正文第一卷，故刪。

❸ 名醫：原作『醫門秘旨一卷』，實爲卷首附篇。此篇無名，今擬『名醫』爲目。

[1] 遺：原誤作『迁』，據文義改。

卷之十一……五一九

卷之十二……五七八

題筠亭張先生醫門秘旨序一卷

顏生曰醫難言哉技末也心未[?]

甲戌歲就試春官會有名追

職中秘初余拜違二親時親俱病狀褥

坐是怏怏思以成疾甚劇無何招淛醫

診之淅駭然曰此氣血兩病也頓安所

得此乎投以火藥弗愈再投以補藥愈

益大病余心固弗信也招吳醫視之吳

曰病不甚害兩尺靜右關重按甚有力止左寸稍稍濡弱耳法當補其心藥更数十進而亦弗愈再召侍醫通政公徐君計爲徐君熟視余笑曰此在内經陽明之脉乍大乍小君豈有思乎此不藥可愈也縷縷数百言皆醫外意吾家定性説也余矍然起坐曰先生言是也余所念在二人積不知以成病向微先生

言余病未諒也因念惟疾其憂之論竟不煩藥而安夫余病鬱也而浙鹽迺云云何哉方技既非精良又視余以爲奇貨恩欵居之故病十不得一吳醫技雖非精然中他賜故病十得二三若徐君者盖國手哉金玉其心山嶽其術矣余故曰心本也技末也非難而然哉余郡筠亭張君皖岳鹽也父憨仙君篤學好

古醫最有名其治病據古方出以己意往往輒効若有神助焉又性淡泊無好毉所得白鏹輒以置之糞壤中曰吾以待夫貧病者筠亭君世其業愈益精進雖寓名仕籍中雅非好也以故有聲華歙閭閻嘗輯其家世所以活人者爲一帙用以視余且曰吾父子生平精力盡在是矣先生其爲我叙之俾永厥傳焉

余惟醫之難自古嘆之矣故備述所以
遇知徐君者如此若張君者吾婣且厚
也籍第令余甚稱其善人弗信無益且
吾不深知醫即稱善亦不能中其肯綮
矧具載是編者辨若黑白海内當自有
隻眼也故弗論獨論其惓惓救濟之心
則余所深知也客在傍曰幽蘭不嗅而
香甘泉不口而冽其本善也先生知張

君之心張君其有本矣他何言

旨

萬曆丁丑改元孟夏之吉

賜進士出身徵仕郎中書科中書懷寧與

朴顔素謹序

醫門秘旨叙言

古之言曰不得為良相則願為良醫夫醫一方技耳乃譚者謂其與相埒焉何居哉毋亦以其活人濟世其心則同歟余不知医第幼即賦稟孱弱尪羸多病每歲未嘗釋藥餌往往見俗醫輩視人有疾則自為奇貨必索厚謝始以藥投之稍獲奇中則又揚揚自得以為國手

無兩間掇拾一二良方遂秘若仙旨玄解不以授人嗟、此直市道者伍耳何鑿之足云吾皖以医術世其家者則張筠亭氏其先憨仙公為皖名家人有求輒往、則療治輒効其報不報弗校也至今皖人称鑿而仁者必曰憨仙至筠亭嗣其業愈益精邃几五色秘禁方書靡不篤嗜而窮探之以故聲名籍、起薦紳間毋論吾邑羸痾疢瘍求全活者繼踵户外即鄰郡邑人有病不遠数百里馳輿馬汎舟楫来逆之君往則病者之家輒喜謂可恃無恐或遲数日迈則吾邑引領而待者数十人君次第劑之罔不應手而愈至於報稱弗計視之慭仙公則後先同一心焉余與君有姻戚且交善嘗試其蔟藥要在培益元和濡

潤性靈不敢妄用金石之劑以覬速効盖所謂純王而不襍以覇者非其讀書明理詎若是哉余以先惡之变茹哀抱痛憂病相仍常覔君視之一日君持家世所集醫書一帙曰醫門秘旨出以觀余、披閱数過大都譚脉說理多宗古昔未嘗雜以臆見且奇方種、又多其父子生平所嘗試者君欵梓之以廣其

傳夫今之奇貨人病丹視已方者衆矣
君能療人病多弗校謝更胠以家世秘
旨公之人人此其活人塗世之心視相
天下者不大相埒也（耶）則益信昔賢所譚
非誣也張君蚤艱於嗣竊過慮之余語
之曰君以医起家所全活者何啻千百
人寘漠中必有所以報君者可已慮也
張君領之未幾果得令子語云仁者必

有後非良然哉余不能女顧念張君仁
術仁心也所希覯故表而出之張君以
為余言有當乎否
萬曆庚辰七月吉旦
賜進士出身徵仕郎中書科中書郡人
養弘任可容頓首拜書

醫門秘旨一卷

古皖筠亭張四維輯録

伏羲

上古三皇中第一人也後世所傳有天元玉册

神農

上古三皇中第二人也後世所傳有本草一書

黄帝

上古三皇中第三人也有熊国君少典

之子姓公孫都涿鹿之丘以土德王天下造指南之車殄滅蚩尤號曰軒轅黄帝與天師岐伯問荅而作内經靈樞素問二書

扁鵲

盧国之医姓秦名越人號扁鵲演八十一難經

仲景

漢長沙太守張機字仲景號曰長川公有傷寒論

守真

金河澗人氏刘完素字守真號曰宗真子章宗帝三聘不起御賜高上先生有内經運氣要旨論十萬餘言素問玄机原病式一帙習医要用直格書三卷医方精要宣明論二帙

子和

金宛丘人氏張戴人是也有儒門事親書三十篇十形三療一帙治病百法三復指迷治法心要三法六門世傳方各一帙

東垣

元初人也李杲字明之號曰東垣老人乃易水張潔古老人之門生也有濟生拔粹十書

医斈發明　活法机要

丹溪

元婺義烏人也師宋理宗稱太無先生羅諱之悌字子敬先生諱震亨字彥脩號丹溪著四子之説迺医家之大成有宋論一卷局方發揮一卷傷寒論辯一帙外科精要發揮一帙本草演義補遺一卷山水問答一卷

僉謂古皖張子諱四維字國本別號筠亭乃聽選官也醫名於世

諸上司奬之以扁額士大夫贈之以詩文難以枚舉恐昧所憲姑記一二以徵其實耳

各官扁額

巡按直隸監察御史張　奬以仁術通仙扁諱遐齡

巡按直隸監察御史唐　奬以明医扁諱懋

廣西提刑按察司副使曹　奬以脉藥甚明扁諱天佑

辰州府同知李　奬以一七四春扁諱[illegible]

安慶府推官劉　奬以拔萃良医扁諱浩

懷寧縣知縣徐　獎以杏橋名家扁 諱[illegible]

望江縣知縣蔡　獎以皖醫無雙扁 諱義

安慶府推官景　獎以名醫扁 諱述

安慶府江防廳同知夏　獎以江表名醫扁 諱學涼[illegible]

各官詩文

賜進士出身資善大夫奉

勑鎮守松潘廵撫四川成都等處地坊都察院右

都御史池陽衚山柯柏贈詩

曾向長生說息機　相逢恠不遇良醫

貫通河澗須心法　妙解丹溪即我師

儒雅世間非浪跡　風流方外更遐思

先天有秘君知否　素問原来亦無詞

太湖縣知縣桂林真吾魏豫之贈云

釣亭張君皖儒医也余知之素矣第未識荆

余染恙延至公署君診脉切問活方用劑其理明其詞文若心之純行之端則又覘之作止語默間也僅旬浹余疾愈君辭歸留之再明日乞余詩一章以記遇頃余非所長者爱君術精志雅遂不忌鄙陋迺為之詩

不趍功名訪赤松　医門秘旨得玄宗

良方每自心源運　奇効常收法外廣

幸我有緣逢一七　羨君無意叩千鍾

予方本是天台客　肘後珍藏術道蹤

懷寧縣儒學教諭悉源竹壚唐詩贈詩

賣藥仙翁海上来　懸壺皖水百花臺

律調國脉藹何術　医壽民生扁鵲才

千古青囊今復見　昔年紅杏又重栽

新詩聊代春林意　無俟東風歲歲開

懷寧縣儒學訓導景陵方所徐蘩贈詩

傾蓋相逢皖水潯　知君身價等南金

纔傳華扁當年術　默印岐黄上古心

西楚東吴流惠遠　青囊册彖奏功深

衍看穏取回生手　為起斯民困瘵身

欽差把總建陽指揮硅川張啓宸贈詩

自醉鈎亭一別觴　此君風韻肯相忘
釣竿未掛扶桑樹　藥餌先傳海上方
軍令八門能楯敵　天書六甲任行藏
嗟哉天馬熱中亟　定與灵砂統寄將

尚書令太學生桐邑畏齋錢可久贈詩

丗誼通家舊　論交志頗同
病殘登兕集　藥自普神功
序敞湘鈎綠　林涂董杏紅
報君無長寿　萋肝叶熊熊

望江縣知縣淛桃義■孫錡贈詩

来今莫謂無医聖　往古岐黄復出身
重道不懐于禄志　存仁惟有活人心
集方妙契儒生術　用藥能嘘大造春
一見已知醫國手　慇懃傳與世間人

江經衛少泉孫埈題詩

青囊垂世遠　冊訣自心裁
妙在胸中出　方從海上来
歆畱安萬姓　勝侶佐三台
済弱無盡術　奇功復許誰

知太湖縣事桂林貞吾魏豫之贈

業擅岐黃闔郡咸稱醫國手
医宗素難滿腔都是活人心
安慶府郡丞蜀涪雲野夏子謙贈

醉後倚欄看藥長
静中拂袖伴鈞閒
歲重光大荒落暢月貴池庠生　光禄題引

不佞在髫齓即奇
鈞亭君舊矣頃以棬疴就而脉剤之口讀岐黄心
無曲理始業是耆以日加矣因得譚聽徐出秘
旨一快視余〻就觀大都寄皆上德海積玄珠

夫豈徒縛旨星稠繁文綺合纍允結繩敉駐無
用已手如是百家毀技堂却步矣皖誠諸君子
固有類任其眚者增烏瞽也削焉爰也不佞郎
哂哂容不無頌美之私曩者識荆問得覯公狀
迺心古而貌冲磊磊落落医特其一班云爾夫
既刻意于技又陶情千文物即古之人難之不
佞無知漫綴蘆蘆之語以着具便槩爾

詩

獨擅軒岐術　芳聲到處尊

久交知世業　受病識專門

妙手能医國　靈丹可返魂

發揮天地蘊　四海賴調元

贈筠翁張老先生小詩并引

筠亭張君古皖國手也交遊盡一時薦紳君子如不佞馳以斗之瞻久矣幸識荆於通江君坦懷相接一見如故知晚然出所撰秘旨賜教録日君誠仁人扎雖秘旨弗自秘也不佞感君嘉惠之意口占瞻頌之亦自忘其鄙陋云

家世番仁澤　囊開起痼沉

羣筠身受舊　紅杏已成陰

展卷渾眷意　披圖識匠心
沠傳先仲景　藉藉兩江濵

蓉城鶴屏山人春宇程守和拜書

筠亭社丈秘旨編成將梓以博濟余未諳其方知仁哉丈之心㒵謹掇俚言以贈俟異日食丈之報者因味余言之不誣而益勵厥脩焉可也

肘後青囊吾自擒　何如此帙恵民深
群方傳得蓬瀛訣　一點由来天地心
欲向董林分造化　迺於蘇井霈甘霖

要知陰隲成功敏　徒倚三槐聽好音

時

萬曆壬午徂暑月大學生考音洪禎拜書于

玩易堂

陝西都司都事懐雲蔣廷贈

杏林春色誰能過　更見幽軒竹数箇

秋深最喜長兒孫　醫門高樹清風播

郡庠生守陽蔣應泰贈

漪漪煙雨報平安　能洗瘡痍世共看

更愛風流鑒我俗　常於亭畔對琅玕

郡庠生雲川尹識中贈

累世相傳更覺精　炎黄靈素悉研評

源頭先有活人意　藥餌方成濟世名

指下考明能自得　心中無我欲鎪行

選奇不負平生志　普與寰區拯病縈

又詩

数十餘年診驗功　悉傳方術救疲癃

乾坤無限回生意　盡屬靈臺一片中

郡庠生懋齋陳汝功贈

君是前身岐伯胎　青囊此日爲誰開

陰陽理妙乾坤轉　龍虎丹成日月迴

白鶴秋晴過砥柱　碧桃春煖出天台

相逢莫道瘡痍衆　知有茱萸賦酒來

贊

筠亭像

倬然其貌，煒然其神，既質而文，亦肅而温，岐黄事業，杏橘流馨，寿民之命，胥国之荣，本来面目，歲月長春，以如是观我，識其心。皖水明月龍

陽進士出身中憲大夫都察院右僉都御史

勑整理薊鎮廵撫順天等處地方建德五台徐紳贈

詩并聯

詩

少年因病諳医學　老大投閑悟性灵

煉藥尚憐丹未轉　逢君真喜眼初青

名家仲景傳心泒　奇効江南滿耳聽

早晚功成何所贈　袖中元自有黃廷

對聯

庭前遍種宜男草

肘後仙傳不老方

醫門秘旨

賛

筠亭像

偉然其貌㷡然其神既質而文亦爾而溫岐黄事業杏橘流馨壽民之命膺國之榮本來面目歲月長春以如是觀我識其心皖水明月龍山瑞雲

楚黍源竹盛唐詩書

桐君藥圃移天柱

葛令仙方在瑞筠

筠亭先生顯于醫三世矣余少病削人病每仰其劑如携取恒保生德之先生業既精心愛益流視寠困苛貴富四方迎至及不遠數百里就而瘳者無虛日醫案積如山將百千種皆左驗先生固艱子今産一麟佳甚蓋其報云小詩酬記

道脈藏身造化功全憑國手與天通

負痾我自違順序投劑誰如振落蒙

鵲也書評還許解陀乎囊術未交空

多君壽世逾千萬奕代應須報上公

邑庠舒埜程慎思

萬竿絲玉養真吾秋晚新巢起鳳雛

一念活人遺不盡名派書本滿江湖

經衛懷寍文江游於禮

孱質多沉抱如君藥褁何按從臣意

得方自越人多鏡水派江月天風起

辟雝逍遥清興在達者自為歌

郡庠如如道人雷敏

醫門秘旨自叙

醫雖小道所從来遠矣司命所係不可輕忽也余家大人憨仙君精專易理諳通諸經爲郡弟子員一日大父宦往大母家居病且劇迺喟然嘆曰爲人子不可不知醫碩獨柰何棄吾母於庸医乎爰投笔舊業爲醫學爲殫精勞神積有歲月而醫遂大進余夙遵父志即學爲儒心弗敏也故孝愚且病盍以醫爲

事乎因珍家大人寄授及涉獵岐黃并仲景東垣丹溪諸名家之書乃其所持守在無伐天和氣血虛實痰火之論而已何也蓋貴明於経病貴明於論若執前人一定之方以應今人無窮之病則其禍有不可勝言者故曰不誦十二経絡開口動手便錯不知五運六氣檢遍方書何濟其言厥有見哉緣斯念經絡為之標運氣為之本旁搜博採竭盡鄙意

以天時外五運六氣刪煩約簡倡之於前人身内五運六氣標本経絡附之于後盖欲同志者宗其旨不泥其方也藥不執方自當合宜而用七方十劑君臣佐使之宜不可不知也再以明天時推運氣審虚实察脉證経驗之方録之於後而醫道備矣因名之曰醫門秘旨云方古人之方心古人之心何敢以秘論頤余文珍以授余余亦珍之以共諸同志

者珍之斯秘矣嗚呼古人有炔灸背而美芹子者欲以献之至尊其意雖疏其心則忠矣余爲此集故亦有芹灸之意耳若其或拒或受四方君子必有所以待之者余何敢贅焉

旹

萬曆四年歲在丙子菊月既望後學懷寧鋳亭張四維謹序

醫門秘旨總目

卷之一

醫門秘旨卷之一

蘿谿方夫謹識

凡例

一脉理医家之先務也故首以諸脉形狀主病及一切脉例診法次以諸病機形狀各各條例也

一治病以診脉為先初學者無脉法則寒熱虛实何所適從矣余故將脉訣舉要及諸家要訣列於首篇以便於觀覽矣

一編集方論皆宗素難及劉河澗朱丹溪李東垣張仲景諸名家之書要旨確論補其闕畧非敢越其矩度而混以衆說若本素問難經者則曰

経宗丹溪及諸賢者之書則曰先賢姓氏或書之以名其或辭語不續則該括之間有不便於稱述者即隱而不發取便觀覽

一病有因有名有形狀有虚有实有相類者若不究其真偽倘一有差則殺人多矣又復詳論必辨其因正其名審其虚实察其形狀若有相類則分別之庶便条分縷析俾後學知所趨向耳

一方書丹溪諸賢之言簡與难知於是竊取諸書之旨或因前人所未發或因古方書所未有亦僣附鄙意惟務詳明使後學適曉其言辭鄙俚

語句重復取其昜明故不忌也

〇一集方本家世傳親用百發百中方敢載集如方之偶獲一效或屢効而不得其理者或覇刼而損傷元氣者及奇方妙法而未及親驗者悉姑舍之不敢輙入也

一凡大寒大熱大毒之藥雖有起死回生之功不無偏勝之害不善用者反以重吾過也縱方有奇効亦不敢入

一方藥味如千年矮三七草一枝箭芦芊石之類俱係本草所未集者故特詳之凡載本草者不贅

一方内如周礼註疏五毒方朱子大全集觧毒方之類俱具子史及各名家文集中為医家之所罕聞也故特類入以廣聞見耳又不必拘為成規也

一諸藥品真偽炮炙製度之法并本草拾遺俱附卷末

○却疾養生論

或問曰人之壽夭窮通皆賦命已定豈医術所能易乎曰人之情欲無涯七情交戰於中六淫迭侵於外與夫飲食男女之類爲能一一中節而無所損也譬

諸水木爲木之本末稱善藝者則能培而活之水之元未涸善導者則能濬而達之人苟元氣未絕善医者亦能培而活之濬而達之也故孟子所謂桎梏死者非正命也盡其道而死者正命也黄帝問於岐伯曰上古之人春秋而度百歲今人年半百皆衰時世異耶人將失之耶岐伯曰上古之人其知道者法於陰陽和於術數飲食有節起居有常故形與神具而盡終其天年度百歲乃去今人不然也以酒為漿以妄為常醉以入房故竭其精耗散其真不知持滿不昔御神務快其心逆於生樂故年半百而衰也是皆

賢哲諄諄教戒欲知養生之法其旨深矣可不信哉

六失六不治說

病不可治必有六失一失於不審二失於不信三失於過時四失於不擇医五失於不識病六失於不服藥又六不治者驕恣不論于理一也輕命重財者二也衣食失宜三也陰陽并脏氣反四也形羸不能服藥五也信巫不医六也凡此類者有一於是即為不治非止医家之罪亦病家之罪也

天干論

火氣治于甲子地氣始于子支者乃聖人究乎陰陽

重輕之用也著名以彰其德立號以表其事由是甲子相合然後成其紀遠可步於歲而統六十年近可推於日而明十二時歲運之盈虛氣令之早晏万物死生将今驗古咸得而知之非特是也將致其細而知人未萌之禍福明其用而察病向往之死生則精微之義可謂大矣哉是以東方甲乙南方丙丁西方庚辛北方壬癸中央戊巳五行之位也蓋甲乙其位木行春之令甲乃阳内而阴尚包之草木始甲而出也乙者陽過中然未得正方尚乙屈也又云乙軋也万物皆觧孚甲自抽軋而出之丙丁其位火行夏之

令丙乃阳上而阴下阴内而阳外丁陽其強適能與陰氣相丁又云丙炳也万物皆炳然著見而強也戊己其位土行周四季戊阳土也万物生而出之万物伐而入之己阴土也無所為而得己者也又云戊茂也己起也土行四季之末万物含秀抑屈而起也庚辛其位金行秋之令庚乃阴干阳更而續者也辛乃阳在下阴在上阳干阳極於此庚更故也而辛新也庚辛皆金金味辛物成而後有味又云万物肅然更茂实新成壬癸其位水行冬之令壬乃阳既受胎阴壬之乃阳生之物壬而為胎與子同意癸者揆也天

令至此万物閉藏懐妊於其下揆然萌芽天之道也以為日名焉故経曰天有十日日六境而周甲者此也乃天地之数故甲丙戊庚壬為陽乙丁己辛癸為陰五行各一陰一陽故有十日也

地支論

清阳為天五行彰而十干立濁陰為地八方定而十二支分運移氣迁歳歳而盈虚應紀上升下降物物而變化可期所以支干配合共臻玅用矣子者北方至陰寒水之位而一陽肇生之始故陰極則陽生壬而為胎子之為子此十一月之辰也至丑陰尚執而

紐之又丑陰也助也謂十二月終始之際以結紐為名爲寅正月也陽已在上陰已在下人始見之時故律管飛灰以候之可以述事之始也又寅演也津也謂物之津塗卯者日升之時也又卯茂也言二月陽氣盛而孳茂辰者陽已過半三月之時物盡震而長又謂辰言震也巳者四月正陽而無陰也自子至巳陽之位陽於是當又巳起也物畢盡而起午者陽尚未屈陰始生而為主又云午長也大也物至午月皆滿長大矣未六月木已重成矣又云未味也物成而有味與辛同意申者七月之辰申陽所為而已陰至

於申則上下通而人始見白露兼落乃其候也可以述事以成之又云申身也言物体皆成酉者日入之時乃陰正中八月又云酉緧也万物皆緧縮收斂戌者九月陽未既也然不用事潛藏戌土中乃乾位戌為天門故也又云戌烕也万物皆衰烕矣亥者十月純陰也又亥劾也言陰氣劾殺万物此地道也故此名月為甲之干乃天之五行一陰一陽言之子之支以地方隅言之故子寅午申為陽卯巳酉亥為陰土居四維王在四季之末土有四辰戌為陽丑未為陰故其數不同也合而言之十配十二共成六十日復

六六而成歲故經云天以六六之節以成一歲此之謂也十二支亦曰十二律亦曰十二辰其辰有屬者廼位中所臨二十八宿之主星禽也故當其生與宿之禽為所屬故也而星禽又有正副焉如尾火虎箕水豹皆在寅亢金龍角木蛟皆在辰虎龍為正餘皆此例火虎金龍者又以七曜紀之今謂蜜日者乃七曜之名號太阳直日則日蜜是隨日宿而言也二者乃医家之標本陰陽之與兼五運六氣之本然耳

五行生死順逆論

五行相生相尅其理昭然十干十二支五運六氣歲

月日時皆自此立更相為用在天則為氣風寒暑濕燥火在地則成形金木水火土形氣相感而化生萬物此造化生成大紀也原其妙用可謂無窮矣木主東應春為言觸也冐也陽氣觸動冐地而生也水流趣東以生木也上發而復下乃自然質也火主南應夏為言化也燬也陽在上陰在下燬然盛而變化万物也鑚木作火木所生也火無正体体本木爲出以應物盡而復入乃自然之理也金主西應秋為言禁也陰氣始禁止万物而揫歛披決揀金土所生也生於土而別於土自然之形也水主北應冬為言潤也

陰氣滋潤任養万物水西而東金所生也水流曲折順下而逹自然之性也土主中央兼位西南應於長夏為言吐也含吐万物將生者出將死者歸為万物家故長於夏而火所生也土或勝水反一自然之義也五行木火土金水互能相生也乃其始也順也木土水火金互能相尅也乃其終也逆也皆出乎天之性也弱可攻強土得木而達實可勝虛水得土而絶水可消火火得水而滅烈可敵剛金得火而缺堅可制柔木得金而伐故五者流行而更轉順相生而逆相尅如是則各各為用以成其道而已

五運所化總論

五運者。以土為尊。故為君。而南面謂之南政。四時配五行。惟土不時。何也。尊居中。以配天。故無部職耳。播五行於四時。四時者氣也。五行者象也。四時各九十一日。八十分之二十五為一時之正。故土寄旺於四時。每季月旺一十八日三時一刻。一十分強。五行在地為物。在天為精。故十幹化運者。冬水生春木。春木生夏火。夏火弗能生秋金。故小暑火甚而逢季土之旺。土得火生土甚。則金生矣。遇庚而伏。故名三伏。且柔金尚稚。而乙庚化金。庚子納土。子居母腹。甲己化土。甲子納金。子假母生。懷六甲之象也。化運二易者。
万物由乎庚甲也。合者遇六則合六。乃陰数之終者
耳。方謂陰陽之配。夫婦之道也。子者坎之位。天一之
水。嬬精之象。胎辰阳中。故男子從子左行三十至巳
陽也。故男子三十而娶。女子從子右行二十至巳陰
也。故女子二十而嫁。此人事合五行之造化也。化者
二十八宿之應。如丹天之氣。経於奎壁牛女戊分。戊
與癸合。丹火氣也。故戊癸為火之運。黅天之氣。経於
心尾角軫甲分。甲與巳合。黅土氣也。故甲巳為土之
運。蒼天之氣。経於危室柳鬼。危室壬位。柳鬼丁位。蒼

木氣也。故丁壬為木之運。素天之氣經於亢氐昴畢。亢氐乙位。昴畢庚位。素金氣也。故乙庚為金之運。玄天之氣經於張翼婁胃。張翼丙位。婁胃辛位。玄水氣也。故丙辛為水之運也。其周天三百六十五度四分度之一。太阳旋轉。故有七十二候二十四氣八節之令。五日為候。三候為一炁。二炁為一節。六炁謂之時。四時為一週。一週方成一歲。二十四氣全數者。凡三百六十五日零二時七刻一十分也。四時者各九十一日三時六刻弱也。終一大氣者。連閏共計一十九年。每年方得三百六十五日零足耳。

天五運化圖

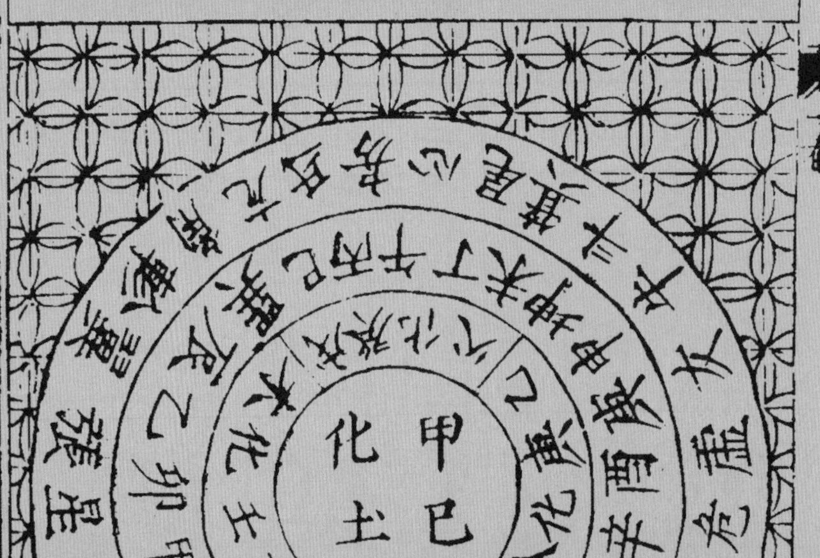

運氣說

夫五運者。金木水火土也。六氣者。風寒暑熱燥火也。天干取運。地支取氣。天干有十。配合則為五運。地支十二。對待則為六氣。天氣始于甲。地氣始于子。天地相合。則為甲子。故甲子者。干支之首。天氣終於癸。地氣終於亥。天地相合。則為癸亥。故癸亥者。干支之末。陰陽相間。剛柔相須。是以甲子後乙丑繼之。壬戌後癸亥繼之。故天以六為節。地以五為制。周天氣者六期為一備。終地紀者五歲為一週。凡三十歲。千四百四十氣為一紀。六十年為一週。太過不及。斯皆見矣。

五星五運五音相配之圖

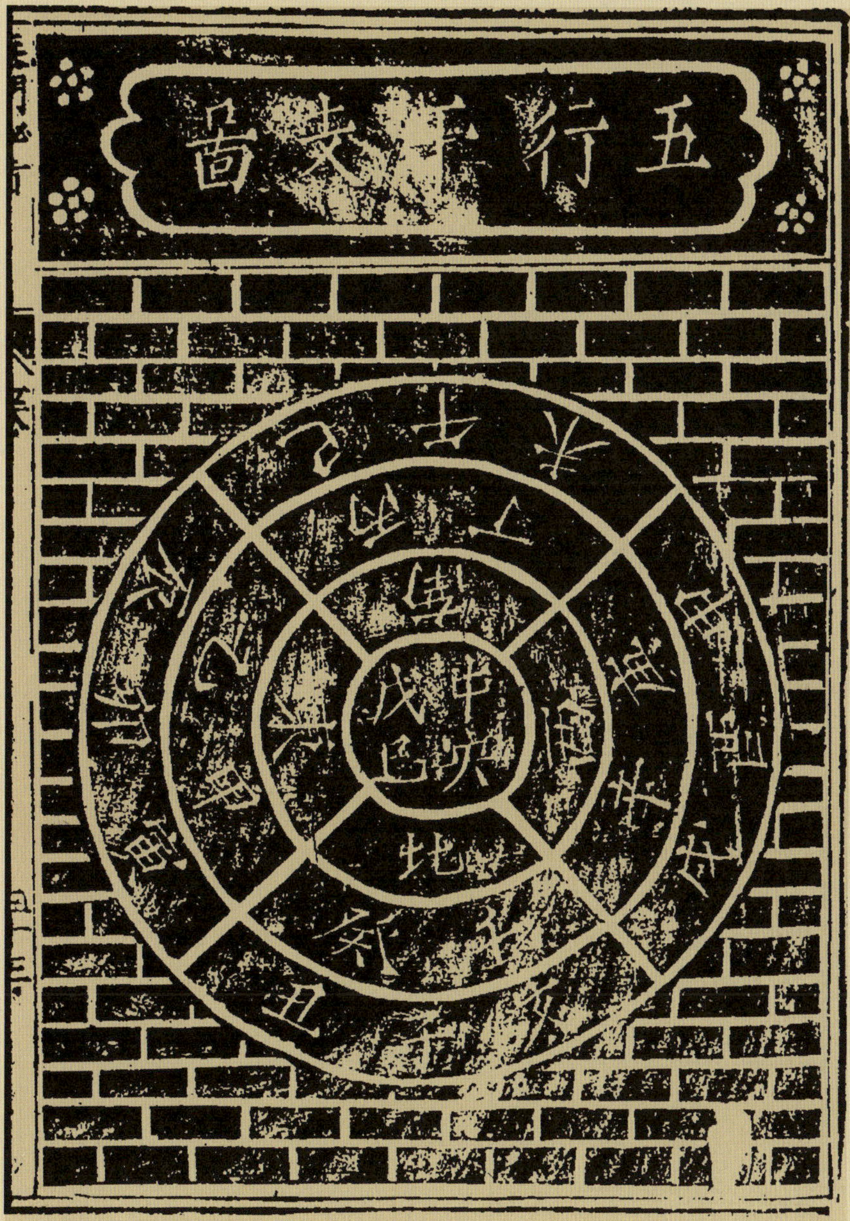
五行干支啚
中央
戊己
地
丑

天干阴阳

甲丙戊庚壬屬阳

乙丁己辛癸屬阴

地支阴阳

申子辰寅午戌屬阳

巳酉丑亥卯未屬阴

干支阴阳配論

阳支配阳干二阳用事其氣常盛故運行為太過

阴支配阴干二阴用事其氣常衰故運行為不及

五運化歌

甲己化土乙庚金　丁壬化木尽成林
丙辛俱是三江水　戊癸南方火炎侵

大始天地初分之際陰陽析位之時天分五運地列五行五行定位布政於四方五氣分流散支於十干當是黅氣横於甲己白氣横於乙庚黑氣横於丙辛青氣横於丁壬赤氣横於戊癸故甲己應土運乙庚應金運丁壬應木運丙辛應水運戊癸應火運然也

太過有餘之歲

土運甲歲　水運丙歲　火運戊歲　金運庚歲

木運壬歲

不及不足之紀

水運辛歲　火運癸歲　土運己歲　金運乙歲

木運丁歲

天符說

天符者假如丙戌歲丙辛水運歲之本位辰戌太陽寒水司天司天是水又合水運故曰天符

歲會說

歲會者謂運與歲相會假如甲己化土運而遇辰戌丑未歲是也餘倣此推之

同天符

太過之運加地氣曰同天符假如庚子庚午年運同司地燥金

同歲會

不及之運加地氣曰同歲會假如辛丑辛未年運同司地寒水

順化訣

天氣生運曰順化假如甲子年甲巳化土子午少陰君火火下生土運餘倣此推之

天刑訣

天氣尅運曰天刑假如庚子年乙庚化金子午少阴君火火下尅金運餘倣此推之

小逆訣

運生天氣曰小逆假如壬子壬午年丁壬化木子午少阴君火木上生下火餘倣此推之

不和訣

運尅天氣曰不和假如丙子丙午丙丁俱是三江水子午君火水上尅下火餘倣此推之

太乙天符

天符歲會相合曰太乙天符戊午乙酉己未己丑 六

十年有此四年太乙天符七

支德符

運與四孟月同曰支德符假如寅屬木春孟月也壬寅歲木運臨之巳屬火夏孟月也癸巳年火運臨之六十年有此四年餘倣此

干德符

運與交司日相合曰干德符甲與巳乙與庚之類一年遇此二干天地德合亦為平氣之歲也

五脏相應歌

甲胆乙肝丙小腸　丁心戊胃巳脾鄉

庚屬大腸辛屬肺　壬是膀胱癸腎堂

六氣主客論

六氣者有主有客天以六氣動而不息上應乎客地以五行靜而守位下應乎主經曰先立其年以明其氣是知司天在泉上見下臨為之始也五運有旋轉之機六氣有遲早之变天以是終始之因於地地以是終始之因於物五運者即五行也六氣者五行之变風寒暑温燥火也故一氣王六十日六六三百六十日終六甲而成陰陽寒暑之歲方為一歲矣

又圖

客氣之圖

天以六氣動而不息上應乎客

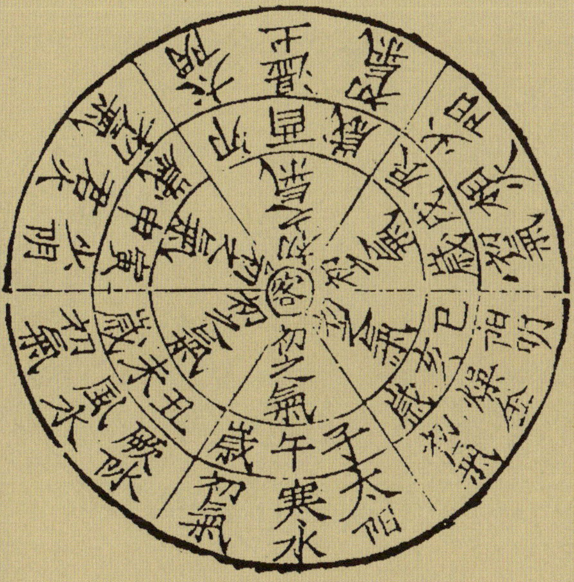

客氣一歲而遷

客氣應天者動

主氣之圖

○地以五行靜而守位下應乎主○

○主氣萬載而不易主氣應地者靜○

五脏陰陽相配

五脏属陰陽干為兄六腑属陽陰干為弟相合而謂為表裡也

五脏所属歌

子午少阴君火心　丑未太阴湿土臨　寅申少阳相火位

卯酉阳明属燥金　辰戌太阳寒水是　巳亥厥阴風水尋

起掌訣歌

歳之本位曰司天順数前三見在泉前四便是初之

氣二三四五六排連

假如子午年子午為本位即司天前三位即卯

乃卯酉阳明燥金在泉也餘做此推之

排山掌法

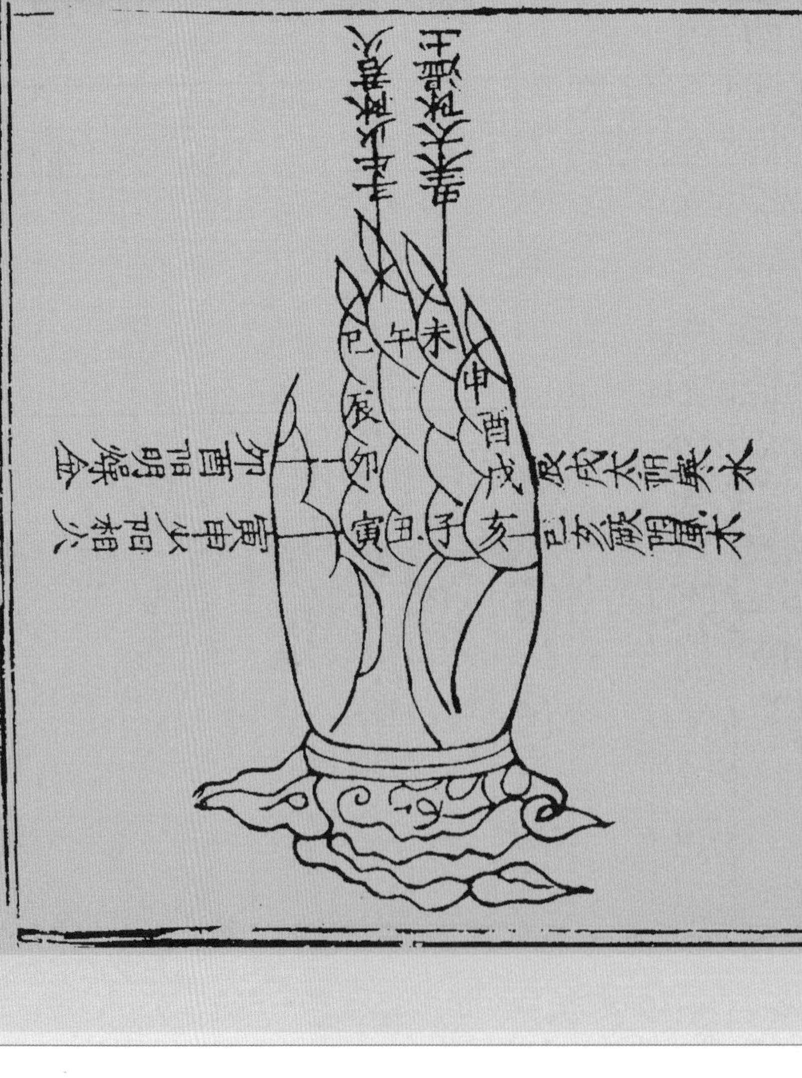

司天在泉

司天統運氣以管上半年

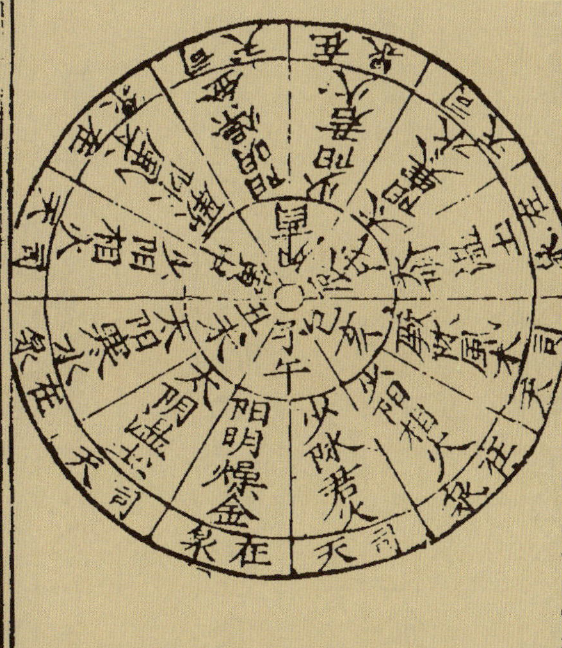

在泉符運氣以鎮下半歲

金曰從革

六氣加臨上下論

五運六氣相摩相盪上加下臨六十年之紀不能齊太過之紀有五木曰發生火曰赫曦土曰敦阜金曰堅成水曰流衍

不及之紀有五木曰委和火曰伏明土曰卑監金曰從革水曰涸流

平氣之紀有五木曰敷和火曰升明土曰備化金曰審平水曰靜順

太過則乘已所勝而侮所不勝反受邪寡於畏也不及則勝已者來欺之子必爲母復仇也

六十年紀運之圖

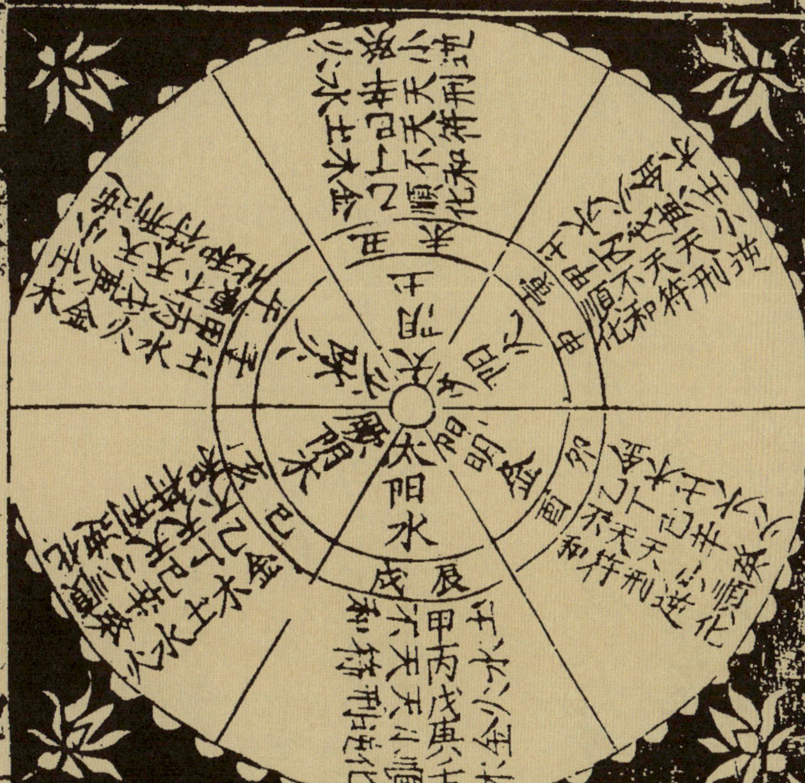

六十年有太過不及之論一甲週詳發生升明之紀

太過之紀

木曰發生之紀

謂壬子壬午壬寅壬申壬辰壬戌六年也歲木太過風氣流行脾土受邪偃木飛砂草木早生歲星明見民病腹痛濡泄飲食上走兩脇膈噎不通胃脘當心而痛甚則忽忽眩冒巔疾

火曰赫曦之紀

謂戊子戊午戊寅戊申四年也歲火太過熱氣流行肺氣受邪火燄沸騰山川赤地熒惑星明見民病咳逆喘嗽肺痿寒熱血溢血泄甚則身熱膚痛

土曰敦阜之紀

謂甲子甲午甲寅甲申甲辰甲戌六年也歲土大過濕氣流行腎水受邪淫雨水潦田蚊土駒鎮星明見民病七疝鶩溏甚則腹大腫滿

金曰堅成之紀

謂庚辰庚戌二年也歲金太過燥氣流行肝木受邪草木晚生不時霜降太白星明見民病脇痛善恐如人將捕之狀甚則皮膚皴揭

水曰流衍之紀

謂丙子丙午丙寅丙申丙辰丙戌六年也歲水太過

寒邪流行心火受邪雪霜凓冽水澤氷堅辰星明見
民病心懸如病肌堅痞甚痛甚則厥逆禁固

不及之紀

木曰委和之紀

謂丁丑丁未丁卯丁酉四年也歲木不及燥氣妄行
肝反受邪草木晚生黄落凋隕太白光芒民病肋痛
支滿腹則火令大舉肺氣受制民病咳逆唾血

火曰伏明之紀

謂癸丑癸未癸卯癸酉四年也歲火不及寒氣妄行
心反受邪雪霜時降寒氣凓冽辰星光芒民病吐痢

腥穢食已不飢後則温令大舉腎水受制民病膝痛脛腫

土曰卑監之紀

謂己卯己酉己巳己亥四年也歲土不及風氣妄行脾反受邪雨水愆期大風數㚔肝木受制民病脇痛

金曰從革之紀

謂乙巳乙亥二年也歲金不及熱氣妄行肺反受邪草木焦黃天暑地熱熒惑光芒民病肺痿寒熱咳血

後則寒令大㚔心火受制民病厥心痛

水曰涸流之紀

謂辛丑辛未辛巳辛亥四年也歲水不及溼氣妄行腎反受邪咏雨淋漬雪霜晚降鎮星光芒民病膝痛脛腫後則風令大牽脾土受制腹痛濡泄

平氣之紀

木曰敷和之紀

謂丁巳丁亥二年也木本不及上逢天符助之得其平也氣化均民病少

火曰升明之紀

謂戊辰戊戌二年也火本太過上逢天刑尅之而得其平也癸巳癸亥二年火本不及上逢順化天氣生

之助而得其平也氣化均民病少

土曰備化之紀

謂己丑己未二年也上逢太乙天符助之得其平也

氣化均民病少

金曰審平之紀

謂庚子庚午二年也上逢君火

庚寅庚申二年上逢相火天刑尅之歲而得其平也

乙丑乙未二年上逢順化生之

乙卯年逢天符

乙酉年逢太乙天符助之得其平也氣化均民病少

謂辛卯辛酉二年也上逢順化生之得其平也氣化

均民病少

醫門秘旨卷之一終

醫門秘旨目録

卷之二

卷之三

醫門秘旨卷之二

醫論

或問仲景東垣河澗丹溪諸書孰優學之宜何主曰宜專主内経而博覩乎四子斯無弊矣盖医之有内経猶儒道之有六経無所不備四子之説則為學庸語孟為六経之階梯不可缺一者也四子之書初無優劣但各發明一義耳仲景見内経載傷寒而其變遷反復之詳未備也故著論立方以尽其变後人宗之傳用既久漸失其真用以通治温暑内傷諸症遂致誤人故河澗出而始發明治温暑之法東垣出而

始發明治内傷之法河澗之論即内経五運六氣之旨東垣之說即内経飲食劳倦之義仲景非不知温暑與内傷也特其著書未之及河澗東垣之於傷寒則遵用仲景而莫敢違矣至於丹溪出而又集諸医之大成發明陰虛發熱類乎外感内傷及湿熱相火為病甚多隨症著論亦不過闡内経之要旨補前賢之未備耳故曰外感法仲景内傷法東垣熱病用河澗雜病用丹溪一以貫之歸於内経医道之大全矣

○或問仲景処方藥品甚少及東垣用藥多至二十餘味丹溪云余每治病用東垣之藥效仲景処方庶

品味数少則藥力專精丹溪何以不法東垣而效仲景也曰明察藥性莫如東垣則可多他人而效其多斯乱攗矣東垣如韓信将兵多多益善丹溪不過能将十万故不敢效其多矣

亢則害承乃制

氣之來者既以極而成災則氣之乘也必以復而得平物極則反理之自然也大抵寒暑燥湿風火之氣木火土金水木之形亢極則所以害其物承乘則所以制其極然則極而成災復而得平氣運之妙灼然而明矣此亢則害承迺制之意原夫天地陰陽之機

寒極生熱熱極生寒至神不測有以斡旋牵制於其間也故木極而似金火極而似水土極而似木金極而似火水極而似土蓋氣之亢極所以承之者反勝於巳也夫惟承其亢而制其害者造化之功可得而成也今夫相火之下水氣承而火無其变水位之下土氣承而水無其灾土位之下木承而土順風位之下金承而風平火熱承其燥金自然金家之疾陰精承其君火自然火家之候所謂亢而為害承而乃制者如斯而已且嘗考六元正紀大論云少阳所至為火生終為蒸蓐大化以生則火生也阳在上故終為蒸蓐是水化以承相

火之意太陽所至為霜雪冰雹白埃是土化以承之氣寒水之氣也霜雪冰雹水也白埃下承土之氣也以至太陰所至為雷霆驟注烈風雷霆驟注土也烈風下承之木氣也厥陰所至為風生終為肅風化以生則風生也肅靜者也陽明所至為霜落濕霜落金也濕下承之火氣也少陽所至為熱生終為寒熱化以生則熱生也陰精承上故終為寒也豈非亢為害則乃制者歟昔者黃帝與岐伯上穷天紀下達地理遠取諸物近取諸身更相問難以作内經至於六微旨大論有及於六氣相承之言以為制則生化外別盛衰害則敗亂生化水病發而雹雪土發而飄驟木發而毀折金發而清明火發而曛昧此皆鬱極乃發以承折

冗之意也嗚呼通天地人曰儒医二家者流豈止治疾而巳當思其不明天地之理不足以為医士之語耳

能合色脉可以萬全

欲知其内當以觀乎外診於外者斯以知其内盖有諸内者形諸外苟不以相參而斷其病之逆順不可得也為功者深燭厥理故望其五色以青黄赤白黑以合於五臟之脉窮其應與不應切其五脉急大緩濇沉以合其五臟之色順與不順誠得察其精微之色診其微妙之脉内外相參以治之則萬舉萬合之功可坐而致矣素問曰能合色脉可以万全其意如此原夫 證辨虚实而為脉脉

散而爲五行而人之所禀皆備焉夫五脉者天之真行氣通陰陽以榮於身五色者氣之華應五行合四時以彰於面惟其察色按脉而不偏廢然後察病之機斷之寒熱歸之以臟腑隨症而療之而獲全濟之効者本於能合色脉而已假令肝色如翠羽之青其脉微弦而急所以為生浮嗇而短色如草滋者豈能生乎心色如雞冠之赤其脉當浮大而散所以為順若沉濡而滑色見如衃血者豈能順乎脾色如蟹腹之黄其脉當中緩而大所以為從若微弦而急色見如枳實者豈能從乎肺色如豕膏之白其脉當浮濇而短所以為吉若浮大而散色

如枯骨者豈能吉乎以至腎色見如烏鴉之黑其脉沉濡而滑者祥或脉来中緩而大其色見炲者死死生之理夫惟診視相參既如此則藥証相對厥疾弗瘳者未之有也抑嘗論之容色所見左右上下各有其部脉息所動寸關尺中皆有定位左頰者肝之部以合左手關位肝胆之分應於風木爲初之氣頰爲心之部以合於左手寸口心與小腸之分應於君火為二之氣鼻爲脾之部合於右手關脉脾胃之分應於濕土為四之氣右頰肺之部合於右手寸口肺與大腸之分應於燥金為五之氣頤為腎之部以合於左手

尺下腎與膀胱之分應於寒水爲終之氣至於相火爲三之氣應於右手命門與三焦之分也若夫陰陽五行相生相勝之理當以合之於色脉而推之也是故脉要精微論曰色合五行脉合陰陽十三難曰色之與脉當參相應然而治病萬全之功苟非合於色脉者莫之能也五藏生成篇云心之合脉也其榮色也夫脉之大小滑濇沉浮可以指别則微診可以自察繼之以能合色脉可以萬全謂夫赤脉之至也喘而堅白脉之至也喘而浮青脉之至也長而左右彈黄脉之至也大而緩黑脉之至也上堅而大此先言

五色次言五脉欲後之學者望而攻之以相合也厥後扁鵲明乎此述之曰望而知之謂之神切脉而知之謂之巧深得内経之理也下至後世有立方者目之曰神巧萬全厥有旨哉

診脉法

凡診脉法於飲食未進血氣未動之時医者先須調停自已呼吸澄心靜慮先以中指取定関部然後下前後二指以定寸尺男先左手女先右手所以別陰陽也如人臂長則疎下指臂短則密下指三部以定却診左寸心與小腸脉輕手指於皮膚之上消息之

謂之浮候以辨其表脉應於腑也次畧加重于肌肉之間消息之謂之中候以探其胃氣次加重按於筋骨之間舉指復按至骨消息之謂之沉候以探其裡脉應於脏也如此三候畢却診関部肝胆之脉如前浮中沉三候畢次診尺部腎與膀胱之脉亦如前浮中沉三部三候共成九候復診右手寸部肺與大腸脉関部脾胃脉尺部心包絡與三焦脉亦如左手九候逐部詳究先須識得本部平脉但見病脉賊脉怪脉死脉便能体認如此詳察如何以断其死生疾病也苟或部位不能熟認経絡不能明諳脉形不能備

知則診候之際倉皇失措罔無所知而求其所謂平脉病脉者鮮矣経云切而知之謂之巧又云心中了了指下難明信不誣矣要在乎得之于心應之于指行之於用可也

八脉八要訣

経云病有八要不審則病不能去非病之不去無去病之術也大哉言乎嗚呼今之昧者曷能知此八要者乎夫八要者表裡虚實寒熱邪正是也夫百病樞機不越乎此苟不知此而妄治安能鞠其病之情耶八要者将何以明之非診候八脉叅以外症弗能也

八脉者浮沉遲数滑澁大緩是也表者病不在裡也脉浮以别之裡者病不在表也脉沉以别之虛者五虛也脉澁以别之實者五實也脉滑以别之寒者脏腑積冷也脉遲以别之熱者脏腑積热也脉数以别之邪者外邪相干也脉大以别之正者外無邪干也脉緩以别之故洪弦長散浮之類也伏石短牢沉之類也細小微敗遲之類也疾促緊急数之類也動搖流利滑之類也芤虛結滯澁之類也堅实鈎革大之類也濡弱柔和緩之類也此八者脉之綱領也苟能得其要領而諸脉可以類推而八要從可知矣其变

化無窮在乎參之而已難以悉舉若能牽一反三斯用之不竭也岐伯云知其要者一言而終不知其要者流散無窮此之謂也學者引而伸之觸類而長之有無窮之應變牽者思之

察脉之法

先須六部齊診看何部與本部之脉不合者便是此部有病然後每部另診方可得其精微無病之人立手弱右手強是血虛右手弱左手強是氣虛有病之人左手大右手小是外感右手大左手小是內傷如邪氣盛脉大醫而使之小正氣虛脉小醫而使之大

者皆効也

東坡先生說

於平時細察医之工拙至於有疾必先尽告以所患而後診視故中医療疾嘗愈吾病而已豈以困医為事哉今之人往往以脉試医医者亦不肯問孟浪一診以自挾其所長寧免實實虛虛之禍哉蓋脉理精微必尽得其所患庶幾可以意求耳

宋景濂先生論

扁鵲華佗天下固不常有使有之耳而值淺易之疾遇難語之人上之不足展吾術次之不能從吾所欲

為法宜針而責我以砭為病是實而寃我以虛何以成其功哉此言深是為任医者勸敢併及之

人身五運六氣主病歌註

諸風掉眩乃肝木□掉搖也眩昏乱旋運也風主動故也所以風氣甚而頭目眩運者由風木旺必是金衰不能制木而木旺生火風火皆屬陽多為兼化陽主乎動兩動相合則為之旋轉故火本動也焰得風自然旋轉矣又或乘車躍馬登舟環舞以致眩運嘔吐者風熱甚然也經云曲直動搖風之用也

痛痒瘡瘍心火屬○人近火氣者微熱則痒熱盛則疼附近則灼而為瘡皆火之用也痒者美疾也火旺於夏而万物蕃鮮榮美也灸之以火漬之以湯而痒轉甚者為火甚之所使也因而痒去熱令腠理開泄而去故也或夏月膚痒以令水沃之不去者寒能收斂腠理閉密陽氣鬱結不能散越怫熱内作故也痒得爬而解者爬為火化微則亦能令痒爬令皮膚辛辣而屬金辛能散則火力分解矣

濕腫滿本脾土經○土濕過急則否塞腫滿故長夏屬土則諸濕万物隆盛也

諸氣膹鬱痿肺屬○膹滿也鬱奔迫也痿手足痿弱

無力以運化也

寒之收引腎水鄉五運主病樞要目

收斂引急寒之用也故冬寒則拘縮矣

六氣為病

○風類

諸暴強直肢痛裡急筋縮緛戾本足肝胆二經厥陰

風木之氣也

暴促也強直堅勁也支痛支持也謂堅固支持筋

攣不柔而痛也緛縮也戾乖戾也然燥金主於收

歛短縮勁切風木為病反見燥金之化者由亢則害承乃制也况風能勝溼甚者皆兼於燥也

○寒類

諸病上下所出水液澄徹清冷癥瘕㿗疝堅痞腹滿急痛下利清白食已不飢吐利腥穢屈伸不便與厥逆厥逆禁固太阳經腎與膀胱為寒水陈陕表本六氣裡

上下所出水液澄徹清冷如天氣寒則水自然汀清也癥氣聚積或聚或散無有常處也瘕血結々塊盖女子月水沉滞久而成此也經曰小腸移熱

於大腸為虛瘕為沉然則血瘕亦有熱者也當以標本論之癩疝足厥陰經受寒則陰腫也堅痞腹滿痛急如水寒則氷堅硬如地也下利清白水寒則清凈明白也食已不飢胃熱能消谷寒則不能消穀食雖已而亦不飢也吐利腥穢寒水甚而制火不能平金肺金自盛故水腥也屈伸不便厥逆禁固謂手足踡攣而冷也

○暑類

諸病喘嘔及吐酸暴注下迫轉筋難小便渾濁血溢泄癃氣結核瘟疹斑癰疽吐下霍乱疟瞀膭腫脹鼻

瞀乾鼽衄淋閉身發熱惡寒戰慄驚惑笑悲譫妄
衄衊汚腹脹鼓之有声和少陰君火手二經真心小
腸氣之過
喘火氣甚而息粗熱傷肺而喘也嘔胃膈熱盛則
為嘔火氣炎上之象也吐酸者肝木之味也由火
盛制金不能平木而肝木自盛故為酸也如飲食
熱蘊久則酸矣暴注卒瀉也火性疾速故也下迫
裡急後重也火性燥物能令下焦急迫也轉筋熱
燥於筋而筋轉也小便渾濁天氣寒則水清潔天
氣熱則水渾濁矣腹脹大鼓之如鼓氣為陽熱盛

則氣盛故腹脹滿也癰淺而大也疽深而惡也瘍有頭小瘡也疹浮小癮疹也瘤氣滯瘤也丹火熱勝氣也結核熱氣欝結其痰而堅硬如果中核也吐下霍亂三焦為水穀傳化之道路熱氣盛則傳化失常而吐瀉霍亂也瞀神昏而氣濁也膹欝熱極則腠理欝結而氣道不通也腫脹阳熱太盛則腫滿瞋脹也鼻窒謂鼻塞也鼽鼻出清涕也衄鼻出血也溢血出於上竅也泄血出於下竅也淋熱客膀胱小便澁痛也閉大便澁滯也身熱惡寒邪在表而反惡寒也因經謂火熱過極反兼水化制

之乃阳極似阴故戰慄而動摇也驚心卒動而不寧也惑疑惑而志不一也悲謂心火熱盛則乘肺金金不受制故發悲哭也笑心火熱盛喜志發也或以手擾人脇肋胭膕令人痒而笑者擾乱動撓火之化也譫多言也心熱神乱言妄出也妄狂妄也心熱神昏則目有所見也衂衊血汗謂熱盛傷肺鼻出紫黑血也

○湿類

痓與強直積飲滞霍乱中滿諸膈痞体重吐下胕腫痿肉軟如泥按不起太陰湿土二足經脾與從中胃

之氣

痓痓也强直謂強項也太阳經中湿則令人強項有汗者曰𤸎痓仲景所謂柔痓是也積飲謂畱飲也痞否也謂氣不升降也鬲阻滞也中滿土位湿盛則令人中焦滿也吐下霍乱謂腸胃湿飲相兼故也体重清阳為天濁阴為地湿土為病体重然也胕腫湿流於下肉如泥按之不起湿勝於身也

〇燥類

諸燥枯涸乾勁皴揭皆屬於燥乃阳明燥金肺與大腸之氣也

燥徧身燥滯而不滑澤也枯不榮生也涸不流通
也乾不滋潤也勁不柔和也皴揭皮膚開裂也而
上皆血液衰耗病耳

○火類

諸熱瞀瘛筋惕惕悸動搐搦瘛瘲極暴瘖冐昧躁擾
狂罵詈驚駭氣上逆胕腫痛酸嚏嘔瘡喉閉耳鳴聾
欲閉嘔涌溢食下不能目昧不明瞤氣翳或禁慄之
如喪神暴病暴死暴注利少阳相火手二經心包絡
與三焦氣

瞀昏也瞤熱令肌肉跳動也暴瘖卒瘂也心火熱

盛上尅肺金不能發声也冐昧昏憒也躁擾謂熱盛於外手足不寧也狂越謂乖越礼法而失常也經曰登高而歌棄衣而走罵詈不避親踈熱極故也罵詈者言之悪也心火熱極則發悪言也驚駭君火化同胕腫熱盛於内也疼酸者由火盛制金不能平木故也氣逆冲上火氣炎上也禁慄如喪神守慄戰慄也禁冷也如喪神守火極而佀水化也嚏鼻中因痒而氣噴作声也嘔瘡瘍君火化同喉痹熱客上焦也耳鳴熱冲听户故也聾水衰火盛氣道閉塞然也微則可治久則難通嘔涌溢食

不下胃腸熱盛火氣炎上之象也目眛不明五臟熱極則目昏不能視物也暴注卒瀉居火化同職瘈惕眺而肉動也暴病暴死火性疾速故也蓋因腎水衰虛心火暴盛水不能制之熱氣怫鬱心神昏冒則筋骨不用卒倒而無所知也若熱盛至極則死微則發过如故俗云暗風疾也

標本論

夫標本之道要而博小而大可以言　而知百病之害言標與本易而勿損察本與標氣可令調又曰知本知標万舉万當不知標本是謂妄行蓋六氣為本

三陰三陽為標又曰為病之氣為本受病經絡臟腑為標又曰先病為本後病為標全在醫家之活法而急則治其標緩則治其本也或本而標之或標而本之故曰知其要者一言而終不知其要者流散無窮

六氣治宜

必先歲氣勿伐天和故太陽寒水治宜辛熱陽明燥金治宜苦溫少陽相火治宜鹹寒太陰濕土治宜苦熱少陰君火治宜鹹寒厥陰風木治宜辛凉以其時而化其氣过尤不及病乃生焉故察其盛衰以味折之以正其氣經云必折其鬱而取化源益其歲無使

邪勝使暴過不生苛疾不起是理歲之大要學者宜熟玩之

十二経脉歌

手太陰肺中焦生下絡大腸出貫門上膈屬肺從肺系々横出腋臑中行肘臂寸口上魚際大指内側瓜甲根支絡还從腕後出接次指屬阳明経此経多氣而少血是動則病喘與咳肺脹膨々缺盆痛兩手交瞀為臂厥折生病者為氣嗽喘渴煩心胸満結臑臂之内前膂痛小便頻数掌中熱氣盛肩背痛而寒氣[illegible]伸少氣不足息遺失無度溺変別

○阳明之脉手大肠次指端则起商阳循指上廉出合谷两筋岐骨循臂肪入肘外廉循臑外肩端前廉柱骨傍従肩下入鈌盆内絡肺下膈屬大腸支従鈌盆直上頸斜貫頬前下齒當環出人中交左右上俠鼻孔注迎香此経氣盛血亦盛是動頸腫并齒痛所生病者為鼻衄目黄口乾喉痺生大持次指難為用肩前臑外痛相仍○胃足阳明交頞起下循鼻外上入齒还出俠口繞承浆順下大迎頬車裡耳前髪際至額顱支下人迎鈌盆底下膈入胃絡脾宮直者鈌盆下乳内一支幽門循腹裡下行直合氣冲中遂由

髀關抵膝臏胻骱中指内關同一支下膝注三里前
出中指外間逼一支別走足跗指大指之端經盡已
此經多氣復多血是動欠伸面顏黑悽悽惡寒畏見
人忽聞木音心震惧登高而歌棄衣走甚則腹脹仍
賁响凡此諸疾皆骭厥所生病者為狂瘧温温汗出
鼻流血口喎唇吻又喉痹膝臏疼痛腹脹結氣膺伏
兔骱外廉足跗中指俱痛徹有餘消谷溺色黄不足
身前寒振慄胃房脹滿食不消氣盛身前皆有熱○
大陰脾起足大指上循内則白肉際核骨之後内踝
前上腨循胻骱膝裡股内前廉入腹中屬脾絡胃與

膈通俠喉項舌散舌下支絡從胃注心胸此経氣盛
而血衰是動其痰氣所為食入即吐胃脘痛更兼身
体痛难移腹脹善噫舌本強得後與氣快然衰所生
病者舌亦痛体重不食亦如之煩心心下仍急痛泄
水塘瘕寒瘧隨不卧強立股膝腫疸疼身黄大指痿
〇手少明脉起心中下膈直與小腸通支者还從心
絡支直土咽喉絲目瞳直者上肺出腋下臑後肘内
少海從臂内後廉抵掌後兊骨之端注少冲多氣少
血屬此経是動心脾痛难任渴欲飲水喉乾燥所生
脇痛目如金 胁臂之内後廉痛掌中有热向経尋〇

手太阳經小腸脉小指之端起少澤循手外側出踝中循臂骨出肘内側上循臑外出後廉直過肩解繞肩甲交肩下入缺盆内伺膻絡心循咽嗌下鬲抵胃属小腸一支缺盆貫頸頰至目兊眥却入耳後從耳前仍上頰抵鼻升至目内眥斜絡於顴别絡接此經少氣还多血是病則病痛咽嗌頷下腫兮不可顧肩如拔兮臑似折所生病主肩臑痛耳聾目黄腫腮頰肘臂之外後廉痛部分循當細分别〇足太阳膀胱脉目内眥上起額尖支者巔上至耳角直者從巔腦後懸絡腦还出别下項仍循肩髆俠脊边抵腰膂脊

膀胱内一支下與後明連貫臀斜入髮中穴一支臂内左右別貫胛俠脊过髀樞臂内後廉膕中合下貫腨内外踝後京骨之下指外側是經血多氣猶少是動頭疼不可當項如拔兮腰似折髀強痛徹脊中央膕如結兮腨如裂是為踝厥觔乃傷所生瘧痔小指㿃頭顖項痛目色黄腰尻膕脚痛連背淚流鼻衄及巔狂〇是經腎脉屬少陰小指斜趨湧泉心然骨之下内踝後別入眼中腨内侵出膕内蕉土股内貫肝屬腎膀胱臨直者屬腎貫肝膈入肺循喉千本尋安者從肺絡心内仍至胸中部分深是經多氣而少令

是動病飢不欲食喘欬唾血喉中鳴坐而欲起面如
垢目視䀮䀮氣不足心懸如飢常惕惕所生病者為
舌乾口熱咽痛氣賁逼股内後廉并脊疼心腸煩痛
疸而癖痿厥嗜卧体怠惰足下熱痛皆腎厥〇手厥
陰心主起胸屬包下膈三焦宫支者循胸出脇下下
下連腋三寸同仍上抵腋循臑中太陰少陰兩経中
指透中衝支者別小指次指絡相通是經少氣原多
血是動則病手心熱肘臂攣急腋下腫甚則胸脇支
滿結心中澹澹或大動善笑目黄面赤色所生之者
為煩心心痛掌中熱之病〇手経少阳三焦脉起自

小指次指端兩指岐骨手腕表上出臂外兩骨間肘後臑外循間上少阳之後交别傳下入鈌盆膻中分散絡心膈鬲裹穿支者膻中鈌盆上上項耳後耳角旋出下至顒仍注頰一支出耳入耳前却從上関交曲頰至目内眥乃尽爲是經少血还多氣是動耳鳴喉腫痺所生病者汗自出耳後痛兼目鋭眥肩臑肘臂外皆疼小指次指亦如廢○足脉少阳胆之経始從兩目鋭眥生抵頭循角下耳後腦空風池次第行手少阳前至肩上交少阳右至鈌盆支者耳後貫耳内出走耳前鋭眥循一支鋭眥大迎下合手少陈抵

項根下加頰車缺盆合入胸貫膈絡肝經屬胆仍從
脇裡過下入氣街毛際荣横入髀厭环跳內直者缺
盆下腋脅过季脇下髀厭內出膝外亷是阳陵外輔
絶骨踝前过足跗小指大指分一支別從大指去三
毛之際接肝经此经多氣乃少血是動口苦善太息
心脇疼痛难轉移面塵足熱体无澤所生頭痛遅銳
皆缺盆腫痛併两腋爲刀挾瘻生两傍汗出振寒痎
瘧疾胸脇髀脉至骱骨絶骨踝痛及諸節〇厥阴足
脉肝所絡大指之端毛際發足跗上亷太衝分踝前
一寸入中封上踝交出太門後循踝內亷阴股亢环

統陰器抵少腹俠胃屬肝絡胆逢上貫膈裡布脇肋
俠喉項與目系同脉上巔會督脉出支者还生目多
中下絡頰裡环唇内支者便從膈肺起此经血多氣
少焉是動腰疼俛仰难男疝女人少腹腫面塵脱色
及咽乾所生病者為胸滿嘔吐洞泄小便難或時遺
弱并孤疝臨症还須手細看

週身經穴賦

手太陰兮大指側少商魚際兮大淵穴經絡兮列缺
孔最兮尺澤俠白共天府為隣云門與中脘相接[illegible]
十一穴左右
二十二穴

手阳明大腸之經循商阳二三而行（二間三間）立合谷陽谿之腧过偏歷温溜之濱下廉上廉三里而近曲池肘髎五里之程臂臑即臂脱（肩髃一穴）上於巨骨天鼎紆乎扶突禾髎唇連迎香鼻边（凡二十穴左右共四十穴）

胃乃足之阳明厉兑趍乎内庭过陷骨衝阳之分見觧谿豐隆之神下巨虚兮條口陳上巨虚兮三里仍犢鼻引入於梁丘陰市之下伏兔上貫於髀関氣冲之經歸来兮水道太巨虚外陵運天樞兮滑肉礼太乙兮関門梁門兮承滿不容兮乳根乳中之膺窓屋翳庫房之氣户缺盆氣舍水穴人迎大迎地倉兮巨

髎續四白兮承泣分御頰車於耳張頭維於頷根凡十五穴左右共九十穴

足太陰兮脾中州隱白出兮大指頭赴大都兮瞻太白訪公孫兮至商丘越三陰之交而漏谷地机可即步陰陵之泉而血海箕門是求入冲門兮府舍軒豁解腹結兮大橫優游腹哀食竇兮接天谿而同泒胸鄉周榮兮經大包如鈎凡二十一穴左右共四十二穴

迨夫真心為手少陰少冲出乎小指少府直乎神門陰郄通理兮灵道非遠少海青灵兮極泉何深凡九穴左右十八穴

手之太阳小腸之紫路從少澤歩前谷後谿之隆道遵腕骨覌阳谷養老之崇得支正於少海逐肩貞以相從値臑腧兮過天宗秉秉風兮曲垣中肩外腧兮肩中腧啓天窓兮見天容匪由顴髎道造听宫凡十九穴

左右共三十八穴

足膀胱兮太阳交背部之二行穷至陰於通谷之口尋束骨於京骨之鄉申脉命僕衆以前導兮崑崙闢金門於踝傍奮付陽飛陽之志轉承山承觔之行至於合陽委中委陽浮郄殷門以岐往扶承秩边而胞肓入志室兮肓門胃倉開意舍兮振彼阳綱出魂門兮

膈關乃譩譆乎神堂膏肓兮在四椎之左右魄户兮
隨付分而會陽下中次上之交白環中膂之房膀胱
俞兮小腸大腸俞兮在傍三焦腎俞兮胃俞接脾肝
膈兮心俞當厥陰肺俞之募風門大杼之方天柱竪
兮玉枕絡却通天谿兮見彼承光自立處曲差而下
造攢竹睛明之場凡六十三穴左右共一百二十六穴
足少陰兮腎出湧泉流於然谷大谿大鍾兮水泉緑
照海復溜兮交信續築賓兮上陰谷掩橫骨兮大
赫氣穴四滿兮中注肓俞上通兮商曲守石關兮
陰都寧閑通谷兮幽門肅步廊神封而靈墟存神氣

或中而腧臑足之凡二十七穴左右五十四穴

手厥队心包之絡中冲發中指之竒自勞宮大陵而往逐内関間使而馳卬郄門於曲澤酌天泉於天池凡九穴左右乙十八穴

手少阳三焦之脉在小指次指之端関冲開千掖門中者阳池外門支溝会宗三阳絡四瀆天井清冷渊消濼臑会肩髎相連天髎处天牖之下翳風瘈脉居先顱息定而角孫近耳絲竹空而和髎倒懸耳門既闗夏蚋聞马凡二十三穴左右共四十六穴

足少阳兮胆经穴乃出尸竅侏浙侠谿苛地五会过

臨泣兮合谷平懸鍾兮阳輔光明外丘兮阳交阳陵西出阳明而抵中瀆風市之璄环跳居髎兮循維道五樞之名考夫帶脉詢至京門日月麗兮輒筋栄淵掖泄兮肩井盈臨風池兮腦空鳴窍竅陰兮完骨門夆浮白於天冲接承灵於正宫目窗兮臨泣阳白兮本神率谷回兮曲鬢出懸豊隆兮懸顱承頷厭兮佳客主人听会兮瞳子髎迎凡四十三穴共八十六穴内附带脉

厥陰在足肝经所鍾起大敦於行間循大冲於中封蠡溝中都之会膝関曲泉之宫袌陰包於五里兮陰廉乃發羊矢於章門兮期門可攻凡十三穴左右共二十六穴

王若佐脉行乎腹典胸承漿泄兮廉泉通竅天突於璇璣祷華盖於紫宫登玉堂兮膻中集中庭兮鳩尾冲瞻巨闕兮二脘上管过建里兮下脘攸同水分兮神闕縹緲陰交兮氣海鴻濛石門直兮関元中極曲骨横兮会陰乃終 凡二十四穴

督脉行乎背部中允端接兮断交從素髎在面兮水溝瞰通神庭入髮兮上星顖会現兮前項百会偎兮尊崇後項輔兮強間逢腦户閉兮風府空啞門通於大推兮陶道夷坦身柱縹於神道兮灵臺旁而隆至阳立下筋縮脊中接脊懸樞命門重々歌阳関

兮舞腰腧頓長強兮壽無窮凡二一七穴

十二経氣血多寡歌

多血多氣君須記大腸手経足経胃少血多氣有六経三焦胆腎心脾肺多血少氣心包絡膀胱小腸肝无異

血氣周流尺寸法

周天三百六十五度六陷一日行一度從房至胃十四宿為陽主晝止人身血氣行陽二十五度也從昴至氐十四宿為陰主夜止人身血氣行陰二十五度也蓋人身経絡共長一十六丈二尺手三陽之脉從手至頭長五尺五六方三丈手三陰之脉從手至胸中長三尺五寸三六一丈八尺五六八三

尺合二丈一尺足三陽之脉從足至頭長八尺六八四丈八尺足三陰之脉從足至胸中長六尺五寸六六三丈六尺五六三尺合三丈九尺人兩足蹻脉從足至目長七尺五寸二七一丈四尺二五一尺合一丈五尺督脉任脉各長四尺五寸二四八尺二五一尺合九尺凡脉長一十六丈二尺也人一呼脉行三寸一吸脉行三寸呼吸定息脉行六寸十息脉行六尺百息脉行六丈二百七十息脉行一十六丈二尺氣血周身一度也漏水下二刻爲至明日寅時周身五十度脉八百一十丈該一萬三千五百息漏水下百刻爲日行二十八舍也其

始從中焦注手太陰陽明陽明注足陽明太陰太陰注手少陰太陽太陽注足陽明少陰少陰注手厥陰少陽少陽注足少陽厥陰厥陰循環注手太陰過而復始循環無端氣主呴之血主濡之脉在其中爲之樞紐也春秋分晝夜兩停脉行五十度合乎正類也若冬至之後晝四十刻夜六十刻陰多陽少氣血凝澁而脉道遲止行四十度也夏至之後晝六十刻夜四十刻陽多陰少氣血滑利而脉道疾及行六十度也若天氣暴熱脉行亦疾天氣暴寒脉行亦遲故人不能調養以順造化之氣則病生而脉變矣

卷之二終

醫門秘旨卷之三

藥性賦

寒品

諸藥識性此類最寒犀角解乎心熱羚羊清乎肺肝澤瀉利水通淋而補陰不足海藻散癭破氣而治疝何難聞知菊花能明目而清頭風射干療咽閉而消癰毒薏苡理脚氣而除風濕藕節消瘀血而止吐衄瓜蔞子下氣潤肺喘兮又且寬中車前子止瀉利小便兮尤能明目是以黄蘗瘡用兜鈴嗽醫地骨皮有退熱除蒸之効薄荷葉宜消風清腫之施寬中下氣

枳殼緩而枳實速也療肌解表乾葛先而柴胡次之百部治肺熱咳嗽可止梔子凉心腎鼻衄最宜玄參治結熱毒癰清利咽膈升麻消風熱腫毒發散瘡痍嘗聞膩粉抑肺而斂肛門金箔鎮心而安魂魄茵陳主黄疸而利水瞿麥治熱淋之有血朴硝通大腸破血而止痰癖石膏墜頭疼解肌而消煩渴前胡除内外之痰實滑石利六腑之澁結天門冬止嗽補虚冷而潤肝心麥門冬清心解煩渴而除肺熱又聞治虚煩除噦嘔須用竹茹通閉結導瘀血必資大黄宜黄連治冷熱之痢又厚腸胃而止瀉淫羊藿療風寒之

痺且補陰虛而助陽茅根止血與吐衄石韋通淋於小腸熟地黃補血且療虛損生地黃宣血更醫眼瘡赤芍藥破血而療腹疼煩熱亦解白芍藥補虛而生新血退熱尤良若乃消腫滿逐水於牵牛除毒熱殺蟲於貫仲金鈴子治疝氣而補精血萱草根治五淋而消乳腫側栢葉治血崩漏之疾香附子理血氣婦人之用地膚子利膀胱可洗皮膚之風山豆根解熱毒能止咽喉之痛白鮮皮去風治筋弱而療足頑痺旋復花明目治頭風而消痰嗽壅又况荆芥穗清頭目便血疎風散瘡之用栝蔞根療黃疸毒癰消渴解

痰之憂地榆療崩漏止血止痢昆布破疝氣散癭散瘤療傷寒解虛煩淡竹葉之功倍除結氣破痰血牡丹皮之用同知母止嗽而骨蒸退牡蠣澁精而虛汗收貝母清痰止嗽咳而利心肺桔梗下氣利胸膈而治咽喉若夫黄芩治諸熱兼主五淋槐花治腸風亦匡痔痢常山理痰結而治濕瘧葶藶瀉肺喘而通水氣此六十六種藥性之寒又當考圖經以博其所治觀夫方書以參其所用焉其庶幾矣

熱品

藥有溫熱又當審詳欲温中以蓽撥用發散以生姜

五味子止嗽痰且滋腎水腽肭臍療癆瘵更壯元陽原夫川芎祛風濕補血清頭續斷治崩漏益筋強脚麻黄表汗以療咳嗽韭子助陽而医白濁川烏破積有消痰治風痺之功天雄散寒為去濕助精陽之藥覌夫川椒達下乾姜煖中葫芦巴治虛冷之疝氣生卷柏治癥瘕而血通白术消痰壅温胃兼止吐瀉茴蒲開心氣散冷更治耳聾丁香快脾胃而止吐逆良姜止心氣痛之攻衝肉蓯蓉填精益腎石硫黄緩胃驅重葫椒主去痰而除冷秦椒主攻痛而治風吴茱萸療心腹之冷氣灵砂之心藏之怔忡盖夫散腎冷

助脾胃須蓽澄茄療心疼破積聚用蓬莪术縮沙止吐瀉安臉化酒食之剤附子療虛寒翻胃壯元阳之力白荳蔻治冷瀉療癰止痛於乳香紅荳蔻止吐酸消血殺虫于乾漆豈不知鹿茸生精血腰脊崩漏之均補虎骨壯筋骨寒濕毒風之並袪檀香定霍乱而心氣之疼愈鹿角秘精髓而腰脊之痛除消腫益於米醋下氣散寒於紫蘇扁豆助脾則酒有行藥破血之力射香開竅則葱為通中發汗之需嘗覌五灵脂治崩漏理血氣之刺疼麒麟竭止血出療金瘡之傷折麋茸壯陽以助腎當歸補血而養血烏賊止帶下

且除崩漏目翳鹿角膠住血崩能補衰羸劳絶白花蛇治癱瘓除風痒之癩疹烏稍蛇療不仁去瘡疥之風熱圖経云烏藥有治冷氣之理禹餘粮乃療崩漏之因巴豆利痰水能破積熱獨活療諸風不論久新山茱萸治頭暈遺精之藥白石英医咳嗽吐膿之人厚朴温胃而去嘔脹消痰亦驗肉桂行血而療心痛止汗如神是則鯽魚有温胃之功代赭乃鎮肝之劑沉香下氣補腎定霍乱之心疼橘皮開胃去痰導壅滞之逆氣此六十六種藥性之熱又當博本草取焉

温品

温藥總括医家素諸木香理乎氣滞半夏主於風痰蒼朮治目盲燥脾去濕宜用蘿蔔去膨脹下氣製麵尤堪况夫鍾乳粉補肺氣兼療腎虚青鹽治腹痛且滋腎水山藥而腰濕能医阿膠而痢嗽皆止赤石脂治精濁而止瀉兼補崩中陽起石煖子宫以壮陽更療陰痿誠以紫菀治嗽防風祛風蒼耳子透腦涕止威靈仙宣風氣通細辛去頭風止嗽而療齒疼艾葉治崩漏安胎而医痢紅羌活明目祛風除筋攣腫痛白芷止崩治腫療痔漏瘡癰若乃紅藍花通経治産後悪血之餘劉寄奴散血療湯火金瘡之苦減風濕

之痛則茵芽藥療折傷之症則骨碎補藿香葉辟惡
氣而定霍乱草菓仁温脾胃而止嘔吐巴戟天治陰
疝白濁補腎尤滋玄胡索理氣痛血凝調經有助嘗
聞欵冬花潤肺去痰嗽以定喘肉豆蔻温中止霍乱
而助脾撫芎走經絡之痛何首烏治瘡疥之資姜黄
能下氣破悪血之積防已之消腫去風温之施藁本
除風主婦人陰痛之用仙茅益腎扶元氣虛弱之衰
乃曰破故紙温腎補精髓與勞傷宣木瓜入肝療脚
氣并水腫杏仁潤肺餘止嗽之劑茴香治疝氣腎疼
之用訶子生津止渴兼療滑泄之痾秦艽攻風逐水

五

又除肢節之痛檳榔豁痰而逐水殺寸白蟲杜仲益腎而添精去腰膝重當知紫石英療驚悸崩中之疾橘核仁治腰疼疝氣之瘨金櫻子兮澁遺精紫蘇子兮下氣涎淡豆豉發傷寒之表大小薊除諸血之鮮益智安神治小便之淋數麻仁潤肺利六腑之燥堅抑又聞補虛弱排膿瘡莫若黃耆強腰脚壯筋骨無如狗脊兎絲子補腎以明目馬藺花治疝而有益此五十四種藥性之溫更宜參圖經而默識也

平品

詳論藥品平和性存以硇砂而去積用龍齒以安魂

青皮快膈除膨脹且利脾胃芡實益精治白濁兼補
真元原夫木賊草去目医崩漏亦医花蕊石治金瘡
血行則卻决明和肝氣治眼之剂天麻主脾濕祛風
之藥甘草和諸藥而解百毒蓋以性平石斛平胃氣
而補腎虛更医脚弱觀夫商六治水腫覆盆益精琥珀
安神而散血硃砂鎮心而有靈牛膝強足補精兼療
腰痛龍骨止汗住濕更治血崩甘松理風氣而痛止
蒺藜療風瘡而明目人參潤肺寧心開脾助胃蒲黃
止崩治衄消瘀調經豈不知南星醒脾去驚風痰吐
之憂三稜破積除血塊氣滯之症沒石主泄瀉而神

効皂角治風痰而響應桑螵蛸療遺精之洩鴨頭血
医水腫之盛蛤蚧治勞嗽牛蒡子踈風壅之痰全蝎
主風癱酸棗仁去怔忡之病嘗聞桑寄生益血安胎
且止腰痛大腹子去膨下氣亦令胃和小草遠智俱
有寧心之妙木通猪苓尤能利水之多蓮肉有清心
醒脾之用没藥有治瘡散血之科郁李仁潤腸宣水
去浮腫之疾茯苓寧心益智除驚悸之痾白茯苓補
虛勞多在心脾之有準赤茯苓破結血独利水道以
無過且如麥蘗有助脾化食之功小麥有止汗養心
之力白附子去面風之遊走大腹皮治水腫之泛溢

椿根白皮主瀉血桑根白皮主喘息桃仁破瘀血兼治腰疼神麴健脾胃而進飲食五加皮堅筋骨以立行柏子仁養心神而有益抑又聞安息香辟惡且止心腹之痛冬瓜仁醒脾实為飲食之資姜蚕治諸風之喉閉百合斂肺劳之嗽姜赤小豆觧熱毒瘡腫宜用枇杷葉下逆氣噦嘔可医連翹排瘡膿與腫毒石楠葉利筋骨與毛皮穀糵養脾阿魏除邪氣而破積紫河車補血大棗和藥性以開脾鱉甲治劳瘧兼破癥瘕龜甲堅筋骨更療崩疾烏梅主便血瘧痢之用竹瀝治中風声音之失此六十八種乎和之藥

更宜參本草而求其詳也

藥性陰陽論

夫藥有寒熱溫凉之性，酸苦辛鹹甘淡之味，升降浮沉之能，互相氣味厚薄不同，輕重不等，寒熱相𢇁，陰陽相混，或氣一而味殊，或味同而氣異，捴而言之不可混說，分而言之各有所能。本乎天者親上，本乎地者親下，輕清成像，重濁成形，清陽發腠理，濁陰走五脏，清中清者榮食於神，浊中浊者堅強骨髓。辛甘發散為陽，酸苦涌泄為陰，氣為陽，氣厚為陽中之陽，氣薄為陽中之陰，氣薄則發泄，氣厚則發熱，味為陰，味厚〃為陰中之陰味薄為陰中之陽味薄則通味厚則泄升降浮沉之理胸中豁然而貫通矣人徒知藥之神者乃藥之力也殊不知乃用藥者之力也人徒知变真偽識藥之〃為難殊不知分陰陽用藥之為尤難也

藥本五味

酸為木化氣本温能收能澁胃肝經苦因火化氣終熱能燥能堅心脏丁甘始土生氣化温能開緩滲助脾經辛自金生氣禘燥能散潤濡通肺竅鹹從水化氣生寒下走軟堅足腎道淡之其為五行本連用須之造化要

氣味生成流布論

陽為氣陰為味味歸形形歸氣氣歸精精歸化精食氣形食味味化生精氣生形味傷形氣傷精精化為氣氣傷於味陰味出下竅陽氣出上竅味厚者為陰薄為陰中之陽厚則泄薄則通氣厚者為陽薄者陽中之陰薄則發泄厚則發熱壯火食氣少火生氣天食人以五氣地食人以五味五氣入鼻藏於心肺上使五色脩明音聲能彰五味入口藏於腸胃味有所藏以養五氣氣和而生津液相成神乃自生矣

氣味辨

氣味辛甘發散為阳　酸苦涌泄為阴

藥味所忌

牛膝忌牛肉　土茯苓忌茶　天門冬忌鯉魚

甘草桔梗黄連忌猪肉　香附知母菖蒲生地忌鉄

藥性升降浮沉補瀉法

經	味	氣
足厥阴肝经 足少阳胆	味辛補酸瀉	氣温補涼瀉
手少阴心 手太阳小腸	味鹹補甘瀉	氣热補寒瀉
足太阴脾 足阳明胃	味甘補苦瀉	氣温涼寒热補瀉各從其宜
手太阴肺 手阳明大腸	味酸補辛瀉	氣涼補温瀉
足少阴肾 足太阳膀胱	味苦補鹹瀉	氣寒補热瀉

藥分身稍

凡藥在土者中半以上氣上行也以生苗者為根中半已下氣脈下行也以入土為稍病在中焦者用身下焦者用根稍蓋根升而稍降也大凡用藥以頭身稍分為上中下病在人身半已上者天之阳也用頭在中焦者用身在人身半已下者地之胡也如形圓而無根稍者當以氣味取焉

藥宜六陳歌

枳殼陳皮并半夏　茱萸狼独及麻黄
六般之藥宜陳久　入用方知功効良

藥明十八反

本草明言十八反　逐一從頭說與君　人參芍藥與沙參　細辛玄參及紫參　苦參丹參并前藥一見藜芦便殺人　白芨白歛并半夏　瓜蔞貝母五般真　莫見烏頭與烏啄　逢之一反疾如神大戟芫花并海藻　甘遂以上反甘草　若還吐毒并翻腸　尋常犯之都不好　蜜蠟莫與葱相見石決明休見雲母　藜芦莫把酒来浸　人若犯之都是苦

藥明十九畏

硫黄元是火之精　朴硝一見便相争　水銀莫與
砒相見　狼毒最怕密陀僧　巴豆性烈最為上
便與牽牛不順情　丁香莫與鬱金見　牙硝难合
京三稜　川烏草烏不順犀　人参又忌五灵脂
官桂善能調冷氣　若逢石脂便蹺蹊

引經報使

小腸膀胱屬太陽　藁本羌活是本鄉　三焦胆與
肝包絡　少陰厥陰柴胡強　太陰阳明并足胃
葛根白芷升麻當　太阴肺脉中焦起　白芷升麻
葱白鄉　脾胃少與肺部異　升麻兼之白芍詳

少陰心經独活主　腎經独活加桂良
通經用此藥為使　豈能有病到膏肓

妊娠服禁

莞花水蛭及蝱虫　烏頭附子配天雄　野葛水銀并巴豆　牛膝薏苡與蜈蚣　三稜代赭蚖班麝　大戟蛇退黄雌雄　牙硝朴硝牡丹桂　槐花牽牛皂角同　南星半夏與通草　瞿麥乾姜桃仁通　硇砂乾漆蟹甲爪　地胆黎芦都不中

諸藥瀉諸經之火邪

黄連瀉心火　梔子片芩瀉肺火　柴胡黄連瀉肝胆火

白芷瀉脾火木通瀉小腸火柴胡黄芩瀉三焦火
知母瀉腎火片黄芩瀉大腸火川黄栢瀉膀胱火

用藥丸散有别

仲景云剉如麻豆大㕮咀同取清汁循其經絡故治至高之病也加酒以煎俾騰經絡而升上去濕加生姜補元氣以大棗發散風邪以葱白膈上之疾以細末者不循經絡止去脾胃上疾及脏腑之疾氣味厚者白湯調服氣味薄者煎以和渣服去下部之疾者其丸極大而去中焦之疾及上焦者極小糊丸取之易化直之下焦者或酒或醋取其收散之意也犯半

夏南星或欲去濕者宜生姜汁稀糊取其易化水浸一宿蒸餅為丸者又昜化也煉蜜為丸取其遲化也而氣尋經絡也蠟丸者取其遲化而旋旋施功矣大抵湯者盪也去新久病者皆能之散者散也去急疾用之丸者緩也舒緩而治之也

升合分兩有殊

古之方劑錙銖分兩與今不同謂如㕮咀者即今剉如麻豆大是也去一升者即今時一大盞也云銖者六銖為一分即二錢半二十四銖為一兩也云三兩者即今一兩曰一兩即今之六錢半也料例大者只

合二分之一足矣

七方

㊀大君一臣三佐九制之大也遠而奇偶制大其服也

大則数少少則二之

腎肝位遠服湯散不厭頻而多

㊀小君一臣二制之小也　近而奇偶制小其服也

小則数多多則又之

心肺位近服湯散不厭頻而少

㊀緩補上治上制以緩緩則氣味薄

治主以緩緩則治其本

(急)補下治下制以急急則氣味厚
治客以急急則治其標

(奇)君一臣二奇之制也君二臣三奇之制也
陽数奇

(偶)君二臣四偶之制也君二臣六偶之制也
陰数偶

(複)奇之不去則偶之是為衆方也

十二劑

(宣)可以去壅姜橘之屬是也

(通)可以去滞木通防己之属是也

補 可以去弱人参羊肉之屬是也

瀉 可以去閉葶藶大黄之屬是也

輕 可以去实麻黄葛根之屬是也

重 可以去虚磁石鐵漿之屬是也

滑 可以去怯冬葵心榆白皮之屬是也

澁 可以去脱牡蛎龍骨之屬是也

燥 可以去濕桑白皮赤小豆之屬是也

濕 可以去枯白石英紫石英之屬是也

寒 可以去熱大黄朴硝之屬是也

熱 可以去寒附子官桂之屬是也

只如此休皆有所屬凡用藥者審而詳之則無失矣

陶隱君云藥有宣通補瀉輕重滑濇燥濕十劑已詳惟寒熱二法遺之故續補於上以盡厥旨

古人服藥有法

病在上不厭頻而少病在下不厭頓而多病在上者先食而後藥病在下者先藥而後食病在四肢飢食而服藥在旦病在骨髓飽食而服藥在夜

南北地氣辨

或問曰人言東南氣熱可服寒藥西北氣寒湏服溫藥然今東南之俗胡椒姜桂人常食之不見生病而

北京士夫畏食胡椒辛熱之物何也曰東南雖熱然地卑多濕西北雖寒然地高多燥辛熱食之兼能助燥故耳治病用藥須識此意

發熱辨

南方之人稱發熱為勞發蓋謂勞苦而發熱即東垣內傷之旨也此病輕者一二發自愈重者用東垣法補之重甚可加熟附子人若因勞力辛苦而發熱切不可悮作外感輕易發汗慎之慎之

傷寒發熱是寒邪入衛與陽氣交爭而為外熱陽氣主外寒所傷而失其職故為熱其脉緊而有力是以

之寒邪傷衛也治主外宜表散
傷暑發熱是火邪傷心元氣耗散而邪熱入客其中
故發熱汗大泄無氣以動其脉虚遲而無力是外之
熱邪傷榮也治主内宜補元氣
内傷發熱是陽氣自傷不能升達降下陰分而為内
熱乃陽虚也故其脉大而無力屬脾肺
陰虚發熱是陰血自傷不能制火陽氣升騰而為内
熱乃陽旺也故其脉数而無力屬心腎經曰脉大而
無力為陽虚脉数而無力為陰虚無力為虚有力為
實也

病有感有傷有中感在皮毛為輕傷者兼肌肉稍重中者入脏腑最重寒有感寒傷寒風有感風傷風中風暑有感暑傷暑中暑當分表裡輕重治各不同又加中暑中氣中毒皆云中中者中也諸邪直入於中也故為中流也

丹溪曰氣病則治氣血病則治血兼痰則行痰兼鬱則開鬱斯言盡之矣近世治病多不知分氣血但見虛病便用參芪之屬氣虛者固宜矣若是血虛則助氣而反耗陰血也是為血病治氣則血愈虛耗甚而至于氣俱虛也故治病用藥須要分則氣血不可混

痛此第一義也

声色臭味

肝色青其臭臊其味酸其声呼其液泣心色赤其臭焦其味苦其声言其液汗脾色黄其臭香其味甘其声歌其液涎肺色白其臭腥其味辛其声哭其液涕腎色黑其臭腐其味鹹其声呻其液唾是五脏声色臭味也

十二经見症法

手太阴肺经症　善嚏悲愁欲哭洒淅寒熱缺盆中痛臍下痛背肩痛　腹痛小便数溏泄皮膚痛及

脉本喘吹氣煩上氣見交兩手而瞀

足太陰脾経　五泄注下無色大小便不過面黃舌本強痛口井食即吐食不下咽怠惰嗜臥搶心善肌善味不嗜食不化食兀陰膝臑䯒足背痛煩悶心下急痛當臍有動氣按之牵若痛心下痞腹脹鳴飧泄不化足不收行善氣脚不痛九竅不通溏泄水下後出餘氣則快然飲發中滿食噦噫形醉皮膚肉痛身体不能動惺足䯒腫若水

足阳明胃経　悪烟火聞木音驚狂上登歌棄衣而走額黑不能言唇胗嘔呵欠消穀善肌頸腫膺乳冲

股伏兎䏶臥外𦡀足趺背痛胸膀過乳痛口喎腹大
水腫奔嚮腹脹䏶內𦡀肘痛髀不可轉胭如結腨如
裂膝臏腫痛遺溺失氣善伸数欠癲疾湿浸心欲動
則閉户獨處驚慄身前熱身後寒

手阳明大腸経　手大指次指难為用耳聾煇〻焞
焞耳鳴嘈〻耳後肩臑肘臂外痛氣满皮膚㱿〻然
堅而不痛

足太阳膀胱経　頭若痛目似脫頭兩邊痛淚出臍
反出下腫便膿血肌肉痿項似拔小腹脹痛按之欲
小便不行也

手太阳小腸経　咗嗌痛頷下腫不可顧肩如拔臑
如折腰臑痛耳聾目黄腮頬腫肘臂之外後亷痛
手少阳三焦経　耳鳴喉閉腫痛耳後亷目鋭眥痛
汗自出肩臑肘外皆疼小指痛指如癈
足少阳胆経　口苦馬刀俠癭胞脇用脾膝外至行
絶骨外踝前諸節足外熱竊寒憎風体無膏澤善太息
足少阴腎経　面如漆眇中青面黒如炭咳唾多血
渇臍左脇下有背髀間痛胞中滿大小腹痛大便難
飢不欲食心懸如飢腹大脛腫喘嗽脊臀股後痛脊
中痛股内後亷痛腰冷如水及腫足痿厥臍下氣逆

下腹急痛泄下腫足胻而逆腸澼𠂢下溼四指三[illegible]
手指青厥足下熱嗜卧坐而欲起凍瘡下利善思善
恐四肢不收不舉
手厥𠂢心色絡經　笑不休手心熱心中熱面黃目
赤心下動
手少陰心經　消渴兩腎經內痛後廉腰背痛浸淫
善笑恐善心上咳吐下氣泄眩仆身熱而腹痛悲心
痛掌中熱煩心
足厥𠂢肝經　頭痛脫色善潔耳無聞頰腫痛肝逆
面青目赤腫痛兩脇下痛引小腹痛背下則兩脇下

腫痛婦人小腹痛腫腰脐痛不可俛仰四肢满悶挺長熱嘔逆血睾腫疝暴痒足厥寒胻善瘈節時腫遺溺淋溲便難陰狐疝洞泄大人㿗疝眩冒轉筋陰縮兩筋攣善恐胸中喘罵詈血在脇下喘

尋十二經水火分治

肝胆由來從火治三焦包絡都無異脾胃常將濕出求肺與大腸同濕類腎與膀胱心小腸寒熱臨時旋商議惡寒表熱小膀濕惡熱表寒心腎熾十二經最端的四經屬火四經濕四經有熱有寒時攻裡解表細消息裡熱理寒宜越竭表熱表寒宣汗釋温同髮

火同热寒热到頭無兩說六分分来一分寒寒热中停真浪舌热寒格拒病机深亢則害承乃制别緊寒數热脉症邪標本求之真妙訣休治風休治燥治得火時風燥了當觧表時莫攻裡當攻裡者莫觧表表裡如或兩可攻後先内外分多少治濕無過似掘川此個筌蹄最分曉感謝軒岐万世恩争柰醯雞笑快

虚實分治法

心為血之主肝為血之藏肺為氣之主腎為氣之藏誠哉是言也今者惟知血之出於心而不知血之納于肝惟知氣之出于肺而不知氣之納於腎用藥模規

往往南轅而北轍矣假如血痢作恙以五苓門冬等劑行其心以巴豆大黄等劑逐其積而其痛独存者血之所藏無以養也必佐以川芎或川歸湯則其痛止假如喘急氣鳴以姜橘枳實蘇桂調其氣以南星半夏細辛降其痰而終不下降者氣之所藏無以散也必佐以補骨脂或安腎丸輩則其氣歸元病有標本治有先後綱紀而目斯張矣噫此傳心喫緊之法也耳目所接敢不與生之家共之○氣血冲和萬病不生一有怫鬱諸病生焉故人身諸病多生於鬱蒼术撫芎總解諸鬱越鞠丸解鬱如婦人病多憂慮者

必加去心貝母觧之貝母開胷中鬱結之氣詩所謂言採其䖟者是也○経云腎氣動氣五脏六腑之本十二経脉之根呼吸之門生氣之原不可不知也○又曰形不足者温之以氣温者養也温之者所以調其飮食適其起居澄心息慮從容以待其真氣之復常也礼記所謂柔色以温之此温字正與彼同或以藥扶助之亦温養也東垣乃以温為温京之温盖講冝温藥以補元氣而瀉火邪世人相循而用藥流弊尚未尽者也請問此而復夆前人之説以賛之盖欲申明其義也歟

治病求源論

筠亭張子曰：治病之法，必求其源。先察六淫七情之感，次明五運六氣之傳，主客必分於勝負，標本要知夫後先。風寒暑溫之燥火，外因成病；喜怒憂思悲恐驚，內因之源；不觸外感，不由內因，有此之感，不內外因。六淫之發，辯其何淫；九氣之幾，察其何真。三陰三陽十二經之候，六臟六腑乃九臟之神，二結五鬱，當審其源，五勞七傷，窮究其症。必先歲氣，天和毋伐之機，斟酌老少，虛實定要詳分，深明亢則害之理，須別承乃制之因，脉詳七診九候之法，病分痰血氣三者

而成藥有君臣佐使新舊地道稍身方有七方十劑

古留後學之繩不須執此之規合宜加意以尋誠哉

望聞問切之工神聖功巧之能雖無三折肱之良謀

實有曲全活人之心矣於戲誤服湯丸者食不及新

特犯禁戒者死必不臘医乃人之司命不可輕忽

也豈弗當切切留心於斯哉

醫門秘旨卷之三終

醫門秘旨目録

卷之四

○風門

○風門

中風脉

脉經云脉多沉伏浮遲或虛者易治急大数實或堅急而疾者難治陽浮而滑陰濡而弱者宜吐或浮而滑沉而滑微而虛者皆虛與痰微而数浮而緊緩而遲者皆氣中沉滑為痰氣浮大為風浮数為熱為風浮而緩皮膚不仁或微数浮而緊浮而大緩而遲滑而浮数者此難痰之症也

中風之症有因外感有因内傷昔人言風者外感也

東垣言氣，河澗言火，丹溪言痰者，内傷也。外感者，其人内有鬱熱，以至腠理疏豁，適遇暴風而卒中也。内傷者，其人賜問有痰，腎水虧耗，適因忿怒傷肝，肝氣上升爲火，火無所制，火載痰壅，遂致不救，以氣也、火也、痰也。其實一源流，爲治之法，外感者分中血脉、中腑、中臓之異而治之。内傷者論是氣是火是痰之的而理之，先用開關竅之藥，次用治本病之劑是也。又中風之病，亦與中氣相同，但中風之症身温，痰涎多，不能治。中氣之症身凉，無痰涎，須臾便醒者，木旺足以動火也，此名爲中氣。老衰之人，血氣俱虚，真水已

竭適因怒動肝火金火相畏不得以上升所以身温有痰涎多不能語者水竭無以降火也名爲中風

中風不治症

髮直吐沫搖頭上竄直視口開手撒眼合遺尿不知人或面赤如粧頭面青黑汗綴如珠声如鼾睡皆不可治也

通關散

治卒中風邪昏悶不醒牙關緊閉湯水不下

細辛洗去土葉　猪牙皂角去子各一分

右爲末每用少許吹入鼻中候嚏湧服藥

一方加半夏壹錢

牛黄清心丸

治諸風緩縱不語語言蹇澁心忡健忘恍惚去来頭目眩冒胸中煩鬱痰涎壅塞精神昏憒

又治心氣不足神志不定驚恐怕怖悲憂慘慼虚煩少睡喜怒無時或發狂顛神情昏乱

白芍藥煨一刄王分　羚羊角末一刄　人参去芦二刄五分

芎藭一刄二分　白茯苓去皮一刄二分半　防風去芦一刄五分

阿膠拾粉炒一刄七分　乾姜炮五分半　白术一刄五分

牛黄一刄二分五分　麝香研一刄　犀角鎊二刄

雄黃研飛捌分　龍腦研壹兩　當歸去芦壹兩伍分

金箔壹千弍百片內四百爲衣　柴胡去苦壹兩弍分半　甘草剉炒伍分

麥門冬去心壹兩五分　杏仁去皮尖壹兩弍分半　乾山藥柒兩

桔梗壹兩弍分　黃芩去腐壹兩五分　神麴弍刃半

白歛柒分半　大棗壹百個蒸熟去皮核　蒲黃炒弍刃半

大豆黃卷炒壹刃柒分半　肉桂去皮壹刃柒分半

右除棗杏金箔二帖末及牛黃麝香龍腦雄黃四味另爲細末入藥和勻煉蜜棗肉爲丸每兩作十九金箔爲衣每服壹丸食後温水化下小兒驚癇即度多少以竹葉煎湯下或温酒亦可

胡麻散

治脾肺風毒攻衝徧身皮膚燥痒或生瘡疥或生癮疹用手搔背侵膚成瘡久而不愈而復作面上遊風或如虫行紫白癜瘋頑痲或腎臟風攻注脚膝生瘡神効

胡麻 拾式刄壁風者佳　荆芥穗 捌刄　苦參 捌两

甘草 炙六分　何首烏 焙十刄　威灵仙 陸分

右爲末每服貳錢薄荷湯或茶湯蜜湯調下藥後頰　浴之自得汗出而立効

稀薟丸

治中風口眼喎斜時吐痰涎言語謇澁[illegible]
筋脉拘攣骨節疼痛又服耳目聰明髭鬢烏黑
筋骨壯健屢用有驗

稀薟草用五月五日六月六日九月九日採葉淨
洗晒乾不拘多少鋪入甑中用好酒和蜜層層
勻洒蒸之復晒乾如此製之九次為末煉蜜為
丸如梧桐子大每服四十丸空心無灰酒送下
一方制膏用効

當歸飲

治半身不遂夜間疼痛

當歸酒洗一錢　生地黄酒洗俱用無灰酒一錢　川芎八分　黄柏炒一錢

蒼术米泔水浸洗一錢　升麻八分　防風去芦八分　荆芥八分　羌活八分

獨活八分　片芩炒八分　防巳一錢　甘草二分　龍胆草洗去土八分

用水一鍾半煎八分温服

人參飲　治半身不遂

羌活　獨活　桂心二分　白蔹　川芎　甘草三分

人參去芦　防風去芦　細辛去土　半夏水浸　石菖蒲

茯神去木　遠志去心　蒼耳草各等分

用水一鍾半煎八分温服

千金保命丹

治諸風癱瘓不能言語心忪健忘恍惚來去頭目眩運胸中煩悶欝結痰涎壅塞脚氣攻心

又治心氣不足及小兒驚癇泄瀉大人猪羊顛發傷寒發狂熱症

硃砂一両　珍珠三分　南星姜汁浸　甘草　防風去芦各一両

麻黄去根　白附子炮　雄黄　龍脳各乙分　琥珀三分

姜蚕炒去絲　犀角鎊　桔梗　麥門冬去心　地骨皮

柴胡去芦　升麻各一両　牛黄三分　天麻五分　枳殻麸炒

神麯炒　茯苓去皮　白术　遠志去心　人參去芦各一両

胆礬五分　射香少許　片脳少許　牙硝四分　河車乙具

黄芩炒 荆芥各二刃 蝉退伍分 金箔一百張 天竺黄二兩

右爲末煉蜜為丸如弹子大每服壹丸薄荷湯下不拘時服 忌雞猪羊肉核桃動風引痰之物及猪頭肉 又方加猪牙皂角一刃川烏去皮尖炮半夏生姜汁浸白芷川芎各一刃共為末和前藥末為丸尤妙

一醉驅風酒 治癱瘓筋骨疼痛

萆薢 五加皮 仙靈皮各四刃 杜仲式刃醉

吹咀黄酒六七斤生浸五六日服一醉効

祛風散 治中風口眼喎斜半身不遂

白附子 姜蚕炒 全蝎各等分去足

右爲末每服壹錢伍[illegible]熱酒調下

活血益榮湯　治左臂拘攣腿痛半身不遂

桂心　熟地黄各壹兩半　當歸酒浸無灰　芍藥各二兩　川芎

柴胡去芦　青皮去穰　桃仁去皮尖　紅花各一兩

如此十劑去青皮柴胡加姜汁竹瀝服

治不語方

用茶子壹個去殼　糯米七粒

右研細水調三匙灌在鼻内痰即出爲妙

去痰方

治胖人中風不語不知人事用好醋一大碗將炭

火灸入醋內吹醋氣入患者鼻內自然甦醒

驅風酒

治左癱右瘓

防風去芦　荊芥各三兩　白芷　細辛各四兩

川芎半兩　蒼木米泔浸　黃躑躅花各四兩即開羊花　紅花一兩

燒酒六斤蜜一斤攪勻將藥以絹袋盛入酒內浸一七去楂能飲者服壹鍾量小者半鍾食後并臨卧須要靜服取微汗妙不可多服恐醉傷人

捉虎丹

治風氣并走注疼痛不能忍臨卧時服一丸趕到脚心中出黑汗乃除根如病在上者食後臨卧

用好酒下如中風体重癱軟偏枯者酒下二丸不醒人事牙關緊閉者用酒二鍾研調二丸灌下醒爲驗

京墨燒烟尽 麝香各弍分半 乳香 木香各七分半

白膠香 草烏去皮尖 五靈脂各一兩伍分 地龍去土

木鱉子追去油各一兩伍分 當歸無灰酒浸洗七分伍分

爲末和白糯米打糊爲丸如雞子大好酒送下

經驗方　治諸風疾極效藥酒

防風去芦弍兩　主四肢骨節疼痛拘攣

虎骨酥炙弍兩研碎　主腿骨邪風濕冷氣

晚蚕沙式刃炒　主癱瘓肢節不遂利小便疼

秦艽去芦三刃　主四肢拘急語言蹇澁

枸杞子五刃炒　主補五脏内及皮骨風濕

茄根乾細八刃飯上蒸熟為末　主風濕骨節不伸

鱉甲酥炙式刃無酥以香迪代　主四肢不遂

蒼耳子四刃去刺搗碎　主風骨節頑麻

當歸全用无灰酒浸㶊式刃　主和血定痛

萆薢式刃生焙　主補腰背痛

羌活式刃　主百節疼痛

牛膝酒洗式刃　主手足軟麻

加五味子 牛蒡子各弍刄 蒼术水泔水浸弍刄
松節弍刄 大麻子一升炒去壳 黑豆一升炒去壳
右㕮咀用無灰酒貳拾斤以布袋裝藥入酒中浸一十四日取飲不可面對瓶口恐氣冲目每進三杯一日三次渣晒乾搗羅為末酒糊為丸如梧桐子大每服三四十丸空心温酒下忌一切動風物

沐浴方 服前藥酒亦用此洗

椿根皮 桃仁 槐枝 火麻 柳枝 茄樹
天羅藤 松葉 枯桑枝 金綿藤 杉樹頭去木
共一鍋煎湯大桶盛之用芦蓆重圍不許透風洗

久効此方治左癱右瘓口眼歪斜百節疼痛七十二風邪悉皆治之

青蒙散

治卒暴風中風痰涎壅塞牙関緊急目上視等症

青礞石四兩焰硝煅过 為末每服貳錢酒調下

南星散

治急中風目閉牙禁人事不省無門下藥者

川烏去皮尖 草烏去皮 蒼术米泔水浸各八錢 川芎

石斛 人参去芦 荊芥 附子 當帰去芦酒浸

白芷 防風去芦各一錢 甘草六分 全蝎去足

何首烏忌鐵器 天麻 麻黄去節 細辛 各一斤

右爲末每服壹錢用好酒臨卧時調下汗出為妙隔二日再進壹服時用爲保身之具

驅風至寶丹

治一切風痰男子婦人半身不遂左癱右瘓口眼歪邪百節疼痛行步艱難并皆治之

荆芥去根 麻黄 川芎 羌活 細辛 當歸洞洗 草烏去皮 天麻 蒼朮米泔水洗 兩頭尖各等分

右爲末用姜汁打糊為丸印作錠子好酒化下半錠如風病者化下一錠照服藥法

秘選錠子

治大人一切諸風破傷風痰小兒急慢驚風

天麻　白芷　人参去芦　薄荷　白术　茯神去木各五钱

防風去芦五钱　乾姜三钱　白附子　川烏炮　牛胆南星七钱

川芎　木香一钱　牛黄　片腦各三钱　全蝎二十个生用

硃砂一两　射香二钱　姜蚕二十一个生用

右為末將麻黄一斤甘草半斤蜂蜜弍两煎作膏子稀調將前藥末印作錠子金箔為衣小兒急驚風昏瞶不省人事四肢不收生姜湯送下大人傷風酒湯下

换骨丹

治男子婦人左癱右瘓半身不遂口眼歪斜筋脉拘急語言謇澁痰涎阻滞潮熱不退精神昏憒手足頑麻骨節疼痛諸般風症大腸下血心腹疼痛五膈五噎并皆治之

沉香　檀香　米殼各三分　人參去芦　全蝎去足

乳香制　沒藥　甘草炙　茴香炒　川椒

荆芥　草烏　木香　白膠香各五分

當歸酒洗　藿香各六分　牛膝酒洗　天麻　細辛

山藥去皮　芍藥煨　川芎　生地黄無灰酒洗各七分

虎骨酥炙　甘松　白芷　自然銅燒過紅淬入醋七次為末各八分

羌活　川烏炮　麻黄去節　防風去芦　蒼术米泔浸各一兩

兩頭尖八分　右為末酒糊為丸如彈子大每服一丸臨卧用好送下嚼碎亦可衣被盖煖

○依病調引

左癱右瘓用好酒送下　狂顛諸症硃砂湯送下

遍身血氣疼茶湯送下　耳聾腰背腎疼米泔下

紫白點風防風湯送下　手足退皮掌腫天麻湯下

遍身疼痛乳香湯送下　心腹脹滿冷痛生姜湯下

淋瀝疼痛用塩湯送下　髮隨梳落腎風塩湯下

婦人手足麻血風葫湯下　赤鼻風用艾葉湯送下

傷風咳嗽生姜湯送下　耳作蟬鳴川椒湯送下

眼疾濕癢煎茶湯送下　起坐艱難脚風地黄湯下

口吐酸水胆寒茴香湯下　鷄爪風石榴皮煎湯下

婦人黄腫血風當歸湯下　赤白帯下生姜湯送下

胎前産後咳嗽肺風用紅花煎湯送下

麝香散

治中風啞忽然倒不省人事左癱右瘓口眼歪斜

諸末藥不効惟服此有効

麝香貳分或三分細研　真香油二三兩

若遇此症急將麝研細調清香油撬勻將患人口挍開灌下其人自醒

千搥膏

治男子婦人左癱右瘓寒濕脚氣及腰痛

龍骨二两煆 乳香 沒藥各制 銅青絶好生佳各肆两

大風子十個去売 木鱉子四十个去売 松香明淨者一斤俱為末 大麻肉弍碗為君

共二處搗千下為膏任大小攤貼効合時忌雞犬婦人生人見

〇破傷風

一字散

治破傷風緊急用者

金頭蜈蚣一條去頭足 草烏 天麻各五分 白芷一分

為末每服一分發熱清茶送下發寒溫酒送下

或半夏茯苓煎湯送下亦可

二仙飲 治破傷風

雄黃 白芷各等分

右㕮咀好酒濃煎服如牙緊者灌之立愈

張秋顯惠爾中泰山二處石刻治風疾百發百中

奪命還真丹

全蝎去足 姜蚕炒 菊花 半夏湯泡 陳皮去白 地黃酒洗

獨活 生地忌鐵 黃連炒 川芎 蔓荊子 桂

地骨皮各一刃 天麻 揀参 兎絲子酒洗 木香
白术 藁本各刃半 白芍藥煨 茴香 防風去芦
知母忌鉄 杜仲炒斷糸 白茯去皮 紫胡去芦 黄芩炒 枳殼
甘草炙 石膏 當歸酒洗 薄荷各二刃 麻黄去節
桔梗各二刃五分 羌活三刃 細辛十刃 蛤蚧二对
共為末蜜為丸如理中丸大金箔為衣每服一
丸細嚼若中風癱瘓癩酒下遍身筋骨痛心氣
疼不省人事醋下洗頭風塘風茶下驚癇口吐
涎沫酒下婦人胎前産後経脉不調香附湯下
極有神驗

○寒門

陰陽辨証

凡陰症身静有語無声氣短促息目不了了鼻中呼不出吸不入鼻氣粗水漿不入二便不禁面上畏寒猶如刀割○陽症身温無語有声目青了了鼻中呼吸出入能往能来口鼻中氣熱也

熨臍法

治陰症用葱一束以繩扎如餅大切去根葉留葱白長二寸先以火煬灰麵令熱麵着臍并臍下外面以熨斗熨之令熱透臍中更作三四餅壞則易之候病

人稍省手足溫有汗服四逆湯

○三陽和解散

治四時疫癘冒風感傷寒發瘧初起者止可服一二剂

乾葛君 柴胡臣 香附使制 桔梗臣 甘草使 川芎佐

茯苓佐 枳殼佐 前胡臣 紫蘇君 独活臣 羌活君

用水一鍾半姜三片葱一莖煎八分食遠熱服

取微汗忌鵝羊雞魚酒麵猪肉等物

酒耳散

猪耳草去皮連根搗碎熱酒送下出汗為妙若生

惡瘡亦用此出汗端午日取者妙其渣敷瘡亦好

御續

鼻塞身重畏風寒人迎脉浮此為胃風畏寒戰慄脉濇大此為胃寒重則為傷寒也方傳其經

內傷

東南二方溶和之氣外感少內傷者十有八九邪之所湊其氣必虛當補中益氣湯主之如飲食內傷謂之有餘之傷平胃散加神麯山查麥芽主之又有口食寒物生冷以至手足厥冷臍脹腹痛脉沉或遅

凡治諸病時常審察有無飲食傷損但見胸膈飽悶或噫氣嚥酸腹痛腸泄惡食少食便問曾食何飲食

審知傷積即便先調脾胃消導飲食然後用本病藥或於本病藥内加入消導飲食藥若不知審此則藥雖對症而不効蓋人以脾胃為主脾胃自傷則不能運化藥味以成功也亦有食後即藥或藥後即睡或藥服太多者謂之傷藥要須識此吾妻甞病胎漏忽日血大崩昏暈去服小便而醒少頃復暈急煎服荊芥隨醒隨暈服止血止暈之藥不効忽然嘔吐予以其童便藥汁滿於腸胃也即以手探吐之少頃吐出米飯及菜捥許詢問適方午飯後着惱少頃即崩下不止予悟曰因方飽食胃氣不行故崩盛血既大崩

胃氣益虛而不能運化宜乎崩暈不止而血藥無力也急宜調理脾胃遂用白朮五錢陳皮麥芽各貳錢煎服之服未半而暈止再服而崩止遂專理脾胃服數十劑胃氣始還然後加血藥治之而安若不審知食滯而專用血崩血暈之藥豈不誤哉書此以例餘

飲食過傷變為異常急暴之症人多不識嘗有一壯年人忽得暴疾如中風口不能言目不識人四肢不舉急投蘇合香丸不効余偶過聞之因詢其由曰適方陪客飲食後忽得此症遂教用生姜汁淡鹽湯多飲探吐之吐出飲食數椀即時病愈又一婦人先傷

飲食損胃後夜飯早卧因事復起少穿衣服竟虛令少頃得厥逆昏迷不醒余曰此必有食也令煎姜湯吐之出夜飲食即醒後服白朮陳皮半夏湯又加麥芽調理而愈大抵此症多因飲食醉飽之後或感風寒或着氣惱而得飲食填塞胃氣不得行內傷時重誤作中風中氣症而用驅風解表行氣散氣之藥則胃氣重傷死在旦夕嘗見人有卒暴病多作中風中氣用藥須臾不救莫知其由內經雖有暴病暴死之症但恐多有因於食者前輩曾言但人不識耳今後遇有此等急症要審問明白若方飲食醉飽或屡傷

飲食重復受傷但覺胸有食滞者只作食治之

凡人四時以胃氣為本然治病必先診六脉皆有胃氣外症雖病重亦可治胃氣未絕則藥力運化而輸散於皮毛經絡故易治而生胃氣胃氣既絕藥雖对症不能使其運用以輸精於皮毛經絡脾臓獨見而藥不及矣遂成不治之症也東垣曰脉貴有神有神者有胃氣之謂也故諸經方論皆曰有病早治療不令邪氣深入所以聖人治未病不治已病正謂此也

○消痰益氣湯 遊宦四方水土不服當用此藥若任刃廣尤宜多服

陳皮去白　白术　茯神去木　黄芩炒　梔子炒　甘草五分

神麴八分炒　半夏姜製　山查　黃連姜汁拌炒　前胡各一錢

蒼朮米泔水浸一宿炒八錢　用水一鍾半姜三片煎八分溫服一日一服或間日一服可免瘴病何也蒼白二朮去濕芩連清熱解毒二陳化痰查麴理脾百病自卻更宜戒酒色慎起居

補中益氣湯

治形神勞役或飲食失節勞倦虛損身熱而煩脉大而虛頭痛或惡寒而渴自汗無力氣高而喘

柴胡去芦　當歸酒浸　升麻　白朮　陳皮各五分

人參去芦　甘草各一錢　黃芪一錢五分待熱盛加之

六一散

治　暑身熱小便不利此藥性凉除胃脘積熱又淡能燥濕故利小便而散濕熱

滑石飛过六两　甘草細末一两　辰砂三分

右拌匀每服叁錢新汲水調下

按六一散入乾姜以寒温也名曰温六一散加紅麴以清熱也名曰清六一丸治痢俱効附此

益元湯

治注夏春末夏初頭疼脚軟食少体熱

黄芪炒　白术　甘草炙　陳皮　人参去芦　芍藥煨

黄栢去粗皮炒　當歸無灰酒洗

水鍾半煎八分空心温服夾痰加半夏麥門冬五味子

御續

静而得之謂之中暑宜以辛散之劑微發之不可泥傷寒之法也動而得之謂之傷暑汗大出無氣以動當以人参白虎黄芪大劑主之夾飲食内傷者惡食右関脉冲過氣口暑藥内加神麯山查勞倦内傷者脉弱無力黄芪人参倍加則安矣

有暑風一症因其夏月而病搐搦故有此名非風也延暑熱亢極火盛金衰木無所制汗閉於外痰鬱於

者名曰中熱其病必頭疼發燥惡熱捫之肌膚大熱大渴飲汗大泄無氣以動乃為大熱外傷肺氣人參白虎湯涼劑主之　注夏屬陰虛元氣不足春初夏末頭疼脚軟食少体熱者是宜補中益氣湯調之

五苓散　治暑瀉暑熱小便不利之症

肉桂一两　白术　猪苓　茯苓各一两半　澤瀉二两半

右為末每服二三钱沸白湯調下

清暑益氣湯

治長夏濕熱蒸人四肢困倦精神减少懶於動作胸滿氣促肢節疼痛或氣高而喘身熱而煩心

下脹悶小便黃而數大便溏而頻或痢或渴不思飲食自汗躰重身体微熱靜中所感或注夏之病俱能治之

甘草 黃栢炒 歸身酒洗 麥門去心 青皮去白
葛根各三分 人參去芦 白朮 陳皮 神麯炒
澤瀉各六分 升麻一錢 蒼朮米泔水浸 黃芪各一錢五分汗少除五分
五味子九個 水二鍾煎一鍾食遠熱服

生脉散

人參去芦 麥門冬去心 五味子各等分
用水一鍾半煎八分溫服

其加減法前具辨惑論中作一服水二鍾煎一鍾早飯後温服

枳术丸　健脾養胃消痰導滯

枳實麸炒　半夏薑製　陳皮　白茯苓去皮　白芍煨　香附各一兩

白术四兩　甘草炙　神麯炒　山查去核各二兩　麥芽炒一兩半

右為末壁色荷葉煎和老米末為丸如菉豆大每服五十丸米湯下○按麥芽用江北者良考江南之麥食之令人發病江北之麥麩不然何也江南之麥其花自晝發江北花夜發用者審之矧麥芽下胎破血用之尤所當謹

○暑門

脉經云暑傷元氣所以脉虛弦細芤遲躰狀無餘又曰脉虛身熱得之傷暑脉浮自汗火動而散故也或浮大而散或洪而大或弦細芤遲或弦而帶微緊或脉隱伏而弱或虛遲無力中得洪緩皆暑病也

東垣曰暑熱之時無病之人或避暑熱納凉於深堂大廈靜而得之者名曰中暑其病必頭痛惡寒身体拘急肢節疼痛而煩心肌膚大熱無汗為房室之陰寒所遏使周身陽氣不得升越故治以順氣散熱藥主之是也如傷暑若行人或農夫於日中勞役得之

内故手足搦為動搐内擾神舍治宜請暑治痰之藥不可以風治之

○濕門

脉經云沉細緩或濇或濡皆中濕浮為風濕大而浮虛而濇為寒濕滑主痰身熱煩喘胸滿口燥發黃為濕熱洪緩為濕熱自甚洪弦而動濕熱為痛

脉沉而緩沉而細微緩者皆濕　脉浮風濕　脉大或浮而虛濇者皆寒濕脉来滑疾身熱煩喘胸滿口燥脉沉数濕熱脉洪而緩陰伏而虛濕熱自甚脉洪而動濕熱為痛

丹溪曰六氣之中濕熱為病十居八九濕有自外入

者有自内得者陰雨濕地皆從外入宜汗散久則脾通泄之濕在上宜微汗而解經曰濕上盛而熱治宜苦温佐以甘辛以汗為効而已不欲汗多故不用麻黄桂枝等剤濕在中宜利小便此淡滲利濕也在下宜升提之

難経曰諸濕腫滿皆屬於脾土濕盛則濡泄地之濕氣感則害人皮肉筋脉

獨活寄生湯

治風濕卧床不起七日見効

獨活 參刄 細辛 牛膝無灰酒洗 桑寄生如無續斷代之

秦艽 茯苓去皮 桂心 杜仲去絲薑汁炒斷

防風去芦 川芎各式刄 芍藥煨 當歸無灰酒洗各三刄

甘草五分 人參去芦式刄 熟地黃酒洗二刄

右㕮咀每服一兩姜三片水鍾半煎八分通口食

前服外用金鳳花栢子仁朴硝木瓜煎湯洗浴

每日二三次妙

四製栢朮丸 一名健步丸 一名二妙丸

滋陰降火開胃進飲食除周身之濕治下部之濕尤効

黃栢去粗皮四斤切成片一斤酒製一斤乳製一斤童便製一斤米泔水製各製十三次方可用

蒼朮去皮一斤切成片四刄川椒炒四刄破故紙炒四刄五味子炒四刄川芎炒四味各用一斤炒訖除去四味方可為末

右爲末煉蜜為丸如梧桐子大每服六七十丸
早酒午茶晚白湯送下

薏苡仁粥

用薏苡仁和米煮粥常食去濕極効功勝諸藥可驗

鄒續

濕熱為病十居八九明土氣火熱所生方多燥濕藥医者不可以此拘當兼凉藥以治之腰以上宜汗腰以下宜利小便大法分利之藥中不可無也其濕症有二如脉滑数小便赤澁引飲為濕熱證若小便自利清白大便泄利或痛自汗為寒濕症治宜五苓散加香附

蒼术木瓜主之自内而出者膏粱过多涌溢於中湿從内作或衣湿汗或冒雨露或卧湿潤湿從外入也

疸

脉經云脉沉渴欲飲水小便不利皆發黄也凡黄候寸口近掌無脉口鼻冷不治

丹溪云不必分五種同是濕熱如盦麴相佀

戴先生曰五疸週身皮膚并眼如梔子水染因食積為黄者○量人虚實實者食積其餘但利小便為先小便利白其黄自退○疸重者大温中丸熱多加黄連濕者温中五苓散食積藥濕熱因傷胃氣服下藥大便不利参芪加梔子茵陳甘草

茯苓滲濕湯

治濕熱發汗黃家或赤

白茯（去皮） 澤瀉 茵陳 豬苓 黃芩（炒） 黃連（炒）

梔子（炒） 防巳 陳皮 枳實（炒） 蒼朮（米泔浸洗）（各等分）

右咀水鍾半姜三片煎八分熱服

如小水不通加木通車前

如飲食不思受傷倍加砂仁 山查 神麯（炒） 麥芽（各等分）

治黃疸之疾

用田螺四十九個去殼搗爛如泥又用白菓四十九個以童便煮熟又用生白菓四十九個共

搗爲一處入乳一杯加童便與水二三碗露一宿空心随服天凉分爲七日服

祛黄酒　治黄疸神方

用醇酒一碗陳艾一把研熱酒泡浸又將田螺十個將前艾酒同擂去渣温服

茵陳五苓散

治五疸其色如赤金

茵陳　澤瀉　白术　赤茯苓去皮各一兩

猪苓八分　肉桂三分

水鍾半煎八分空心服

痞疾

脉經云胸痞脉滑為有痰結弦伏亦痞濇則氣劳河澗曰痞與否同不通泰也心膈悶而不痛者為痞满内外皆急脹者為腫聚而成塊者為積塊也痞者有食積兼濕東垣有法有方心下痞用枳實炒黄連如禀受色蒼骨露氣实之人而心下痞者枳实黄連青皮陳皮枳殼如禀受素弱轉運不調飲食不化而心下痞者宜白术山查麯蘗陳皮如肥人心下痞者乃是痰宜蒼术半夏砂仁茯苓滑石如瘦人心下痞者乃是鬱熱在中焦宜枳实黄連葛根升麻如

食後感寒飲食不化心下痞宜藿香草荳蔻吳茱萸砂仁若夾血成窠囊用桃仁紅花香附大黃之類無不効也

橘皮枳术丸

治老幼元氣弱飲食不消臟腑不調心下痞滿

枳實麩炒去穰 陳皮各一兩 白术二兩東墻土炒

爲末荷葉煎湯打糊為丸如梧桐子大每服五六十丸滾水送下食遠服夫內傷用藥之大法强人胃氣令胃氣益后能猛食多食重食而不傷此為用藥者也服此久久益胃氣令人不傷也

衂續

傷寒下早而痞者寒傷榮心主榮邪入於本故心下痞以黄連瀉心湯主之〇飽食傷脾不能欲而痞者惡食氣口脉緊甚者是痰因氣滞不能運化積於胸膈脉滑而痞者〇濕熱大盛而痞者四肢軟弱面黄者是也下多傷脾而痞者相類肥人多濕痰而痞瘦人多欝熱而痞分而治之可也

腫脹

脉經曰腫脹之症有陈有陽察脉觀色問症須詳陰脉沉滞其色青白不渴而瀉小便清色脉或沉数色

赤而黃燥屎赤澁煩渴而脹為陽浮大者生沉細者死腫脹因脾虛不能制水水漬妄行當以參朮補脾胃使胃氣得實則自健運自能升降運動其樞機則水自行非五苓神祐之行水也宜補中行濕利小便可用二陳湯加白朮人參蒼朮為主佐以黃芩麥門炒梔子制肝木若脹佐以厚朴氣不運加木香木通氣若陷下加升麻柴胡提之隨病加減必須補中行濕二陳治濕加升提之藥能使大便潤而小便長若產後必須大補血氣為主少佐蒼朮茯苓使水自降用大劑白朮補脾若壅滿用陳皮半夏香附治之有

熱當清肺經麥門冬黃芩之屬一方用山梔子去皮取仁炒碾碎米湯送下一抄若肺胃熱病在上者連皮用

治水腫方

木香一錢五分 白朮二錢半 山梔子炒五錢

右㕮咀取急流水煎服水腫用大戟香薷濃煎汁成膏丸去暑利小水大戟為末棗肉丸瀉小水劫快實者

鼓脹又名單腹脹宜大補中氣行濕乃脾虛之盛必須遠音樂斷厚味節飲食祛鹽味戒暴怒久久調之

方得安矣

水腫禁針灸

揆水腫惟針灸水溝可針餘穴水盡即死此明堂銅人所戒也庸医多為人針分水殺人多矣若其他穴亦有針得愈者特幸爲不可以為法也水溝名人中在鼻柱下灸三壯其水腫人中滿不治

丹方奇術

治腫脹不服藥自去水

生硫黃一兩 水銀粉二兩 巴豆肉研去油四兩

右三味和成餅要勻先用新綿一塊鋪臍上次

以餅當胡掩之外用綿縛如人行三五里自然瀉下惡水待行三五次除去藥以溫粥補之久患者隔日取水一餅可救十人神効

五皮散

治水腫煩渴小便赤澁大便閉此屬陽水

陳皮　桑白皮　大腹皮　生姜皮　茯苓皮

右㕮咀每服八分水鍾半煎八分溫服

奇効即安散

治黄腫腹大如鼓之狀

南木香　檳榔　牙皂各四分　黑牵牛一两

右為末頭一日服四錢消上截次日早服三錢
半消中截三日早服三錢消下截用巽方石榴
根上青皮半夏煎水送下先服五積散一貼出
汗愈

三花神祐丸

治中滿腹脹咳嗽淋閉一切濕腫皆治

甘遂　大戟　芫花炒各六　牽牛弍刄　大黄乙刄
輕粉乙刄　為末水丸菉豆大每服十丸九量虛
實加減溫水送下

二消散　治十臌

螻蟈壹個大者佳即土狗　大戟　芫花各二錢

右爲末將螻蟈從中破開二塊研爛左半個消左半邊腫右半個消右半邊腫用銀器盛好酒調服用藥之後切忌房事辛辣油膩之物濕熱寺過暑濕之月時日可避之百日後方可用塩醬油醋此雖神效但霸劫之藥用者當斟酌之

七聖散

治水蠱諸滿腫症

蠱藥七聖君子　名方着在烟霞

白皮甘遂乾薑　商陸檳榔配合

葶藶牽牛等分　休將各味爭差

豆湯調服甚丹砂　水腫心膨消下

御續

風腫者主於風濕血腫者四物之類陽水者清水養脾陰水者實脾之藥大抵腰以上宜汗腰以下宜利小便之分乃為開鬼門潔淨腑之治者也陽水者煩渴小便赤濇大便閉脉洪数也陰水者小便少而清大便溏不渴脉沉也治宜温燥利水之藥主之

○燥門

河澗論詳然則分大便閉結或消渴之類為裏症皮

脣燥渴乾瘀瓜枯之類為表症而於脉結脉結氣盛血少痰鬱風熱而又悉之

秘丹　吐血為主捴治三消方

黄連炒　天花粉末二味為　藕汁　人乳汁　生地汁佐

以姜蜜和二味為膏每次一指面大放在舌上徐徐白湯送下

枇杷散　治消渴胸滿心煩津液太少

枇杷葉二片　麥門冬二卜　五味子五分　瓜蔞　生地黄

人参去芦　茯神去木　乾葛各壹錢　知母忌鉄　甘草各七分

水鍾半竹葉十皮烏梅一个煎八分不拘時服

夫三消之病消渴消中消腎皆火也入水之物無物不潤入火之物無物不消蓋消渴之疾飲水至斗亦不能止其渴相火燥其膈膜此膈消也治法調之而不下固無以殺炎上之勢下之而不調亦無以沃膈膜之乾下之當以三一陳氣湯調之當以凉膈散加桂苓甘露飲大作劑料服之間用生地黃生藕擂汁服之又當慎起居戒淫慾消渴之疾不足憂矣相火燥其肺臟者皆肺消也飲一溲二者必死消中之疾多食而反瘦亦爲消而飲水相火燥其胃土也治法當三一氣湯節次下之五七次後用凉膈散白虎飲

桂苓甘露飲三藥合為一服服之必愈腎消者相火燥其腎臟者也經曰思想無窮所願不得意淫於私縱欲太甚白淫因溲而下或夢遺精脫治法宜珍珠粉丸或封髓还元丸服之必愈矣此不傳之秘妙也丹溪云消渴養肺降火生血為主分上中下治三消皆禁用半夏血虛亦忌用口乾咽痛腸燥大便難者亦不宜用汗多者不可用不必用塩姜汁消渴若瀉泄先用白术白芍炒為末調服後服前藥即諸汁膏〇內傷病根後燥火不觧此有餘熱在肺經可用参苓甘草少許姜汁調冷服或以茶匙挑姜汁送之遍

者可用人参湯天花粉消渴神藥也

上消者肺也多飲水而少食大小便如常

中消者脾也多飲食而小便黄赤

下消者腎也小便濁淋如膏之狀面黑而瘦

天門冬膏

天門冬五斤用温水洗净揀過在温水内浸一時即去水只待軟透至骨去皮心搗爛每斤入水五碗共約美水同煮半乾傾出濾渣滓再搥每斤再入水四碗約美水同煮大半乾方用粗夏布濾汁去渣將前汁同和一處文武火熬過必滴水成珠

不散将膏磁礩感貯此膏滋脉降火助元氣感虛有熱者用之潤燥每日滚白湯調服二三次清晨一服午後一服下晚一服其妙若神前有一人单服此膏生三十二子以其中又補滋化源也

○火門

脉經云浮大而虛為虛或洪数而細小為实沉細或数難治又云○脉理提綱曰火脉洪数虛則浮

劉宗厚曰火之為病其害大其変甚其势彰其死暴火者蓋能燔灼焚焰飛走狂越消鑠於物莫能禦之遊行乎三焦虛实之兩途曰君火也猶人火也曰析

火也猶龍火也火性不妄動不違於道當以禀令而運行造化生存之机矣夫人氣交於中多動少靜慾不妄動其可得乎故凡動者皆屬於火化火一妄行元氣受傷勢不兩立偏勝則病移害他經事出非細動之極也病則死矣今所以一水不勝二火出天造君相之外又有厥陰臟腑之火根於五志之中六慾七情激之其隨盖大怒則火起於肝醉飽則火起於胃房劳則火起於腎悲哀動中則火起於肺心為君主自焚則死矣

惡寒發熱辯

丹溪云惡寒非寒明是熱症亦有久服熱藥而得者河澗謂火極佀水熱盛而又竟寒冷實非寒也有用熱藥而必愈者亦能發鬱遏暫開尔惡熱非熱明是虛症経曰陰虛則外熱陽在外為陰在内為陽之守精神外馳嗜慾無節陰氣耗散陽無所附遂致浮散於肌表之間而惡熱也當作陰虛治之

升陽散火湯

治男子婦人四肢發熱肌熱觔皮熱骨髓中熱發困熱如燎捫之烙手此病多因血虛而得之或胃虛過食冷物抑遏陽氣於土火鬱則發之意

宜服此剂

升麻　葛根　獨活　羌活各伍分

防風去芦弍分　柴胡去芦八分　甘草炙三分　人参去芦

白芍煨各五分　甘草生二分

右㕮咀每服八錢水煎温服

三黄丸

治男子婦人三焦積熱咽喉腫痛心膈煩燥小便赤澁大便閉細并宜服之

黄連去鬚炒亦去芦　黄芩去粗皮土炒　大黄煨各五分

右為末煉蜜為丸如梧桐子大每服四五十丸

浣白湯送下

大金花丸

治中外諸熱寢汗咬牙時常驚悸溺血淋閉咳衄血瘦弱頭痛并骨蒸肺痿喘嗽去大黄加梔子

名曰梔子金花丸

又曰既濟解毒丸

黄連炒　黄栢炒　黄芩炒　大黄煨

右為末米糊為丸如菉豆大每服三四十九用新汲水送下

身熱去大黄加梔子

抑青丸

治肝火

黄連（姜汁炒，不拘多少）

右為末，用粥糊為丸，每服六七十丸，以滚白湯送下。

左金丸

治肝火

黄連（六兩，炒） 吴茱萸（乙兩）

右用麵糊為丸，隨意服。

治法

小熱之氣凉以和之大熱之氣寒以取之盛熱之氣汗以發之不盡則逆取之

清胃湯

治牙床腫痛動搖黑爛脫落皆屬二陽明大腸與胃二經之火

條芩炒一分　石膏二錢　山梔炒一分　牡丹皮一分

甘草二分　升麻七分　藿香五分　生地黃無灰酒洗八分

白芍煨七分　黃連炒八分　桔梗去芦七分　連翹去心一分

用水鍾半煎八分食遠熱服

柔金丸

竭大便閉結或生痔疾奇効

用山梔子不拘多少炒為末打糊為丸每服之

八十丸空心滚白湯送下

鄙續

心火者君火也可以濕伏可以水滅也

相火者龍火也有名無位係於肝腎二臟之間不

可以直折之惟知母黄栢主之

五臟之火名五志也當論臟腑虚实治之名實火

者為有实火也經云正氣奪則虚邪氣盛則实

故实火宜瀉之虚火宜補之

諸氣憤鬱肺經也悲哀動中火起於肺

諸風掉眩肝火也怒則火起於肝

諸濕腫滿脾土也醉飽則火起於脾胃

心為君火則不可輕動動則自焚而死故多暴死之症也

諸逆冲上屬腎火也房勞則火起於腎若火起於湧泉者虛之極也難治

醫門秘旨卷之四終

秘旨卷之五

瘧門

脉法　病機要論　主方

清脾飲　祛邪扶正湯　黒豆飲

截瘧飲　驅邪飲　油煠鬼

鄶續

痢門

脉法　原病式說　主方

芍藥黄芩湯　戊己丸　禁口痢方

又方　香連丸　姜茶散

瀉泄門

醫門秘旨卷之五

○瘧門

脉經云瘧脉自弦弦遲多寒弦數多熱隨時變遷○瘧機要云經曰夏傷於暑秋必痎瘧傷之淺者近而暴傷之重者遠而遲曰痎者久瘧也是之夏月傷暑氣閉而不發泄於外邪氣内行至陰爲瘧也有中三陽者有中三陰者其症各殊因傷寒也太陽經爲之寒瘧治多汗之在陽明經爲熱瘧治多下之在少陽經爲風瘧治多和之此陽受病謂之暴瘧發在夏至後處暑前此乃傷之淺者近而暴也在陰受病則不

分三經總謂之溫瘧當從大陰經論之處暑後冬至前此廼傷之重者遠而為痎瘧者老瘧也居西方宜毒藥療之此分風暑所傷有陰陽淺深之異發前人所未論也

瘧疾有○風○濕○痰○老瘧○瘧母

大法風暑當發汗夏月多在風凉處歇閉其汗而不泄故也惡飲食者必在飲食上得之無汗要有汗以散邪為主帶補有汗要無汗扶正氣為主帶散一日一發者受病一月間日一發者受病半年三日一發者受病一年二日連發住一日者氣血俱病

瘧疾感虛者須用人參白朮一二錢則托住其氣不使下陷後使他藥內傷夾外邪同發內必主痰多以汗解散二陳湯加柴胡黄芩常山草菓煎服

久瘧不得汗者二陳湯加檳榔倍蒼朮一方加柴胡乾葛川芎一補一發不可直截

老瘧者此係風暑於陰分血藥引出陽分則散入方內

川芎　撫芎　紅花　升麻　當歸酒洗

白朮炒　甘草　白芷　蒼朮米泔水浸

右㕮咀用水一鍾半煎八分露一宿次晨温服

主方

柴胡去芦 白术 蒼术米泔浸一錢 上三味必用

陳皮七分 甘草炙五分 乾葛一錢二分

若一日一發及午前發者邪在阳分加枯黄芩茯

苓半夏各一錢 盛熱頭痛再加川芎軟石膏各一錢

口渴加石膏知母麥門冬各一錢

若間一日或三日或午後或夜發者邪在陰分加

川芎當歸酒炒 芍藥熟地黄知母酒炒各一錢 紅花酒洗

黄柏酒炒各四分 提起阳分可截之

若間一日連發二日或日夜各發者氣血俱病加

人參黄芪白茯苓各一錢 以補氣川芎當歸白芍

地黃各一錢 以補血

若阳瘧多汗黃芪人参白术以歛之無汗柴胡葛根白术蒼术黃芩以發之

若陰瘧多汗當歸白芍熟地黃芪黃柏以歛之無汗柴胡蒼术大川芎紅花升麻以發之故曰有汗要無汗扶正氣為主無汗要有汗散邪為主

若病人胃氣弱飲食少進或服截瘧藥傷脾胃而少食者人参五分 酒炒麥芽芍藥各一錢

若傷食痞滿悶或有食積加神麯山查麥芽枳實炒各二錢

若痰盛加姜汁半夏南星枳實炒各一錢黄連黄芩各陸分

若欲截之加檳榔黄芩青皮常山各乙錢烏梅淨肉三個肥者佳

若日久虚瘧寒熱不多或無寒而但微熱者邪氣已無只用四君子合四物湯加柴胡黄芩黄芪陳皮以滋補氣血

清脾飲

治瘅瘧脉来弦数但熱不寒或熱多寒少口苦咽乾小便赤澁

青皮去穰 厚朴姜制 白术 半夏湯泡七次
黄芩去粗皮炒 柴胡去芦 茯苓去皮 甘草炙各等分
右㕮咀每服八分水鍾半煎八分温服加姜三片

祛邪扶正湯

治五般瘧疾神効
柴胡君 黄芩炒君 甘草使 陳皮去白臣
青皮君 半夏制君 猪苓 白茯去皮臣
澤瀉臣 厚朴制佐 蒼术佐米泔水浸先
水鍾半姜三片煎八分食遠熱服
如飲水生令過傷脾胃者加神麯炒君 山查

麥芽

如因暑熱所盛，加香薷君　黃連炒，臣

如在脉分，恐久而成他患，加升麻君　以提入脉

分截之

黑豆飲

青皮君，去穰　羌活臣　甘草使　陳皮去白，臣

常山佐　檳榔君，雞心者　知母去毛皮，君　黑豆照歲下粒

水鍾半，煎八分，露一宿，來晨空心溫服，瘧即止。

截瘧飲

治疫瘧、溫瘧

柴胡去芦君　黄芩炒君　青皮去穣臣　知母去皮毛佐
甘草使　陳皮臣　茯苓去皮臣　黄栢炒去粗皮臣
黄連炒佐　石膏二是　常山臣　草菓去殻臣
檳榔臣　烏梅佐　黒豆四十九粒
用水一鍾半酒半鍾煎八分食遠温服

扶正驅邪飲

柴胡去芦君　黄芩炒臣　人参去芦臣　蒼术米泔浸洗佐
半夏姜製臣　甘草使　青皮佐　厚朴姜汁制臣
神麯炒臣　草菓去殻佐　用水鍾半姜三片煎八
分臨來二時前服如寒多加柴胡熱多加黄連

有食加草菓神麯

油煠鬼　治瘧疾

細茶一兩　麵一兩　荳粉伍分　人言叄分

為末水爲丸如鷄頭子大香油煎熟凉水送下

鄒續

瘴氣感山嵐瘴氣作瘧者當扶正氣養胃主之

痎瘧老瘧也三日一發係風邪入於陰分在臟者久則成瘧毋不可輕截之單瘧單熱不寒或寒不熱寒瘧畏寒其病因感寒而成無汗治宜發之食瘧因傷食而得必胸滿噫氣惡食俗名脾寒宜消導之藥主

之壮痓壮痓名雖不同俱老痓也暑痓傷暑得之多汗四肢軟弱治宜補之各痓多主於痰諸剂必兼痰藥先宜散之後宜補之久則亦補之

○痢門

脉経云濇則無血厥寒為盛尺微無陰下痢逆冷又曰無積不痢脉宜滑大浮弦急死沉細無害

原病式曰或言下痢白為寒誤也若為寒不能消穀何由反化為膿也所謂不利穀反為膿血如世之谷肉菓菜濕熱盛則自化腐爛潰發為膿血也其熱赤屬心火故也其濕黄屬脾土故也其燥白屬肺金也

經曰諸憤鬱憤屬於肺謂燥金之化也然泄瀉痢皆熱於濕反言氣燥謂濕熱盛於腸胃之内而腸胃怫鬱結而又濕至於痞以致氣液不得宣通因以成腸胃之燥使煩渴不止也假如下痢赤白欲言寒熱相兼其說有誤殊知水火陰陽寒熱者猶權也一高則必一下一盛則必一衰豈能寒熱俱盛腸胃而同為痢如熱瘡瘍而出白膿者豈可以白為寒歟其在皮膚之分屬金故色白也次在血脉之分屬心火故為血也在肌肉屬脾土故作黄膿在觔部屬肝木故其膿色帶蒼深至骨屬腎水故紫黒血出也故隨五臟

之部五見五色是其標也木則一出於熱但分淺深而已大法下迫窘痛后重裡急小便赤色皆屬燥熱而下痢白者必多有之然則為熱明矣赤痢屬血自小腸而來白屬氣自大腸而来皆濕熱為本○初得一二日之間元氣未虛必推蕩之此通因通用之法用調理陳氣湯下後看其氣病血病白為氣病赤為血病而氣藥用參术血藥用四物五日後不可下脾虛故也壯實者亦可氣口脉虛不可以風溫熱論之則火盛而然独火木旺而脾損以輕則飱泄身熱脉伏穀不化重則大痢膿血經曰春傷於風夏必飱泄

又曰諸下痢皆屬於濕又曰下痢稠粘皆屬於火又曰下痢膿血多滯下前症實症也忌用龍骨石脂粟殼等藥虛症瀉痢或化或不化并無努漬惟覺困倦脉弦濇浮大宜補之治法須用大黄湯輕則黄芩芍藥湯初得不可便用參术胃虛氣虛者亦可用

主方

黄芩炒式厶半　黄連炒厶　白芍煨二厶　已上三味必用

木香　枳殼麩炒各厶半　梹榔雞心者佳　甘草炙三分

若腹痛加當歸一厶五分　砂仁一厶　又加木香芍藥各五分

若裏急後重加滑石乙厶五分　再加枳實梹榔各五分

芍藥生用再加五分　條芩亦加五分
若白痢加白术茯苓滑石陳皮各一分　初欲下之
再加大黄五分　兼食積如山查枳實各一分
若紅痢加當歸川芎桃仁各分半
若紅白相雜加之亦如上以理血滑石陳皮蒼术
各分半砂仁五分　檳榔枳殼加炙乾姜少許
若紅痢人胃弱血虛或下後未愈減黄芩各五分
當歸川芎熟地阿膠珠陳皮各一分　白术分半
若色赤黑相雜此濕盛也小便赤澁短少加木通
澤瀉茯苓各一分　梔子炒五分　以分利之

若白痢加當歸川芎生地桃仁槐花炒各一分

久不愈減芩連各七分去枳榔枳殼再加阿膠珠

側栢各一分乾姜煨乙分白朮二分陳皮乙分

若痢已久而後重不去此大腸墜下去枳榔枳殼

黄芩加升麻乙分以升提之

若嘔吐食不下加石膏分半陳皮一分山梔炒五分

入生姜汁呷之以瀉胃口之熱

又有一様氣血虚而痢者用四物湯加人参白朮

陳皮黄連黄芩阿膠之類補之而痢自止有一様寒

痢用黄連木香芍藥酒炒當歸乾姜煨宿砂厚朴

末姜棗〻畧煎佐之

又方

因胃口熱盛用人參黄連煎汁終日呷之如吐再吃但一呷下咽便好又用田螺搗入麝香少許合臍中以引下熱胃口熱結當開以降之人不知此多用温藥甘味以火濟火以滯益滯也亦有誤服熱毒之藥犯胃者當以推明而祛其毒

香連丸

治冷熱之痢赤白如膿血相雜裡急後重

木香四兩八錢　黄連二十兩用吴茱萸炒赤色　去茱萸各為末　十兩同

用米醋丸如梧桐子大每服六十丸空心米湯送下治禁口痢加人参二分黄連一分姜汁濃煎細細呷之但呷一呷下咽即開

姜茶散　縣李掌教唐竹塢云茶用谷雨者姜用三伏晒過者治赤白冷熱痢疾如神

生姜切如韭片細陳茶葉各一錢二味用新汲水煎露一宿温服腹中响方効不响再服

梅連散

昔曹魯公痢血百餘日國医無能効者陳應之取水梅除核研一枚合臘茶加醋湯沃服之一啜

肉桂之類

若得痢而誤服温熱止澁之藥則雖稍久亦宜用

前法以下之後方調

若得痢便用前症法以下之而未愈又同前調理

法治而久不愈此屬虛寒而滑脫可於前藿梅寒

温二條擇用更加龍骨赤石脂罌粟殻烏梅肉收

澁之藥自愈

芍藥黄芩湯

治瀉泄痢疾腹痛或後重身熱久不愈脉洪疾者

又治下痢膿血

芍藥煨一刄 黄芩炒一刄 甘草炙伍分

用咀一两水二鍾煎一鍾去渣通口服

戊巳丸

治脾經受濕洩痢不止米穀不化臍腹刺痛

黄連炒去鬚 呉茱萸去梗 白芍藥煨各三刄

右末米糊丸如梧桐子大每服五十丸空心米湯送下

禁口痢方

石蓮肉不拘多少晒乾為末每服二錢老米湯調下便覺思食仍以照東方壁土炒真橘皮為

而瘥大丞相荘肅梁公亦痢血應之曰此爽水穀當用胡黄連烏梅肉竈心土等分為末茶清調下食前服

奇驗飲

治諸痢疾以推蕩之繼服此藥即安

黄連炒君　條芩炒君　陳皮臣　枳殼麸炒臣

白术佐　檳榔佐　蒼术臣制　白芍煨君

先一劑加大黄君　朴硝臣　推蕩之

後每劑加木香五分　放盞内熱服

如夏月暑盛加香薷君　夛句加黄連條芩三停

減一倍陳皮蒼朮倍一倍

如紅多倍加黄連條芩剃芥燒灰存性

如純紅者加生地黄君存性荆芥灰久則加地榆

收之每劑用水一鍾半煎八分空心熱服

有驗方

府學吕桐石師尊得患暑瀉予以暑瀉治之已安後飲食太過復作疼痛医以為瓜菓過食有傷生冷此為寒瀉五脉俱平惟脾胃之脉法六而数遂用五積散十劑泄瀉俱好而变為紅痢内有魚腦色亦無裡急後重腹痛之症請予視之

因診右關秋脉洪大而数如初予以為中姜桂之毒當以苦寒之藥治之服後方三五剂之后其疾少减大便成條主藥則大便堅硬如石又服再作再止遂每剂入大黄三分四五剂大便少潤微稀止用二分去大黄其便又結如此服至三十剂而安可見姜桂之藥不可輕用後之医者當观此而深戒之

黄連炒臣　條芩炒臣　黄栢炒臣　生地酒洗臣

梔子炒臣　白芍煨臣　陳皮去白佐　枳壳麸炒佐

升麻使　地榆臣　荆芥君去根

用水一鍾半煎八分空心熱服

愈痢飲　治赤痢白痢神効

槐花炒　柴胡去芦　黃連炒　當歸酒洗二朩

紅花二分半　地揄　木香另用　桃仁去皮尖七个小人三个

用水一鍾半煎八分空心服

清暑祛痢湯

治赤白痢相兼裡急後重七八月發者

澤瀉　豬苓　黃連炒去鬚　香薷　茯苓

砂仁　厚朴制各一朩　陳皮　白芍根各一朩半

青皮去穰　神麯炒各七分　枳殼麩炒　蒼朮米泔洗各二朩

如純紅加苑仁去皮尖 滑石 當歸各一錢半

灯心七根 木香五分 為末蓪湯服如不利可用

服此藥後有七劑再服四苓湯加蒼朮 升麻

乾葛 三劑有効

蓮肉散 治禁口痢

蓮肉一兩去心 砂仁伍錢 平胃散共為細末每服

一匙 紅者蜜湯調下 白者砂糖湯調下

赤者并小兒脾瀉米湯調下

柴苓飲

治傷寒赤白痢下

柴胡黄芩與白芍　甘草肉桂生姜末
茯苓澤瀉與猪苓　升麻蒼术姜水合

治赤白痢方

赤白痢疾十味藥　黄連黄芩并枳殼
木香白术與檳榔　蒼术陳皮白芍藥
再加厚朴白水煎　空心頓服如神却

木香散

治赤白痢久不瘥者

黄連炒，一兩　木香五錢　乾姜煨，一兩　乳香三錢

右爲末每服三二錢空心米湯送下

香連丸

治赤白痢疾不拘遠近一服即安

黄連一斤　呉茱萸一斤　先將茱萸量用水浸透入黄連慢炒萸成炭一捻成末爲度將連切碎晒乾為末如連末六兩加百草霜一兩四分木香一兩二分醋打米糊為丸如菉豆大每服五六十丸空心米湯送下

大黄飲

治瀉痢膿血稠粘裡急後重晝夜無度再不愈者用

大黃一兩煨好酒二盞浸半日煎一盞去大黃將大黃酒二分服之如未止再服以利為度後用芍藥湯和之痢止再服黃芩芍藥湯

清下湯　治血痢及腸風下血

升麻一撮　槐花一撮炒

用好酒一鍾煎六分去渣空心熱服

又方　治禁口痢傷寒閉結亦治

用清明柳一握蜜二匙煎湯熱服

簡易方　扁豆花五錢紅用白花白用紅井水擂服即安

姜砂散　治痢疾神劾

前姜茶散内加砂仁二枚

莱菔湯　治痢疾腹痛不可忍者

用陳久蘿蔔菜煎湯服下其痛立止其病亦安

藥雖不貴劾驗甚多

鄭續

治痢先以推蕩之此通因通用之法耳故濕熱之疾于於血分則赤于於氣分則白赤白相兼者溫也魚凍色者脾土不健陳積脫滑也如白膿者虛坐努責而出氣受熱邪瘀結也如屋漏水腐色者元氣憊弱

也為裡急後重里圊不能便下迫窘痛者温熱内盛也

〇瀉泄門

脉経云脉細皮寒少氣泄利前後飲食不入是謂五虚死其漿粥入胃泄注止者難治〇論泄瀉之症雖分温火寒虚痰食六者之殊必以滲温燥脾為主而随症加藥爲温則導之火則清之寒則温之虚則補之痰則豁之食則消之是其治也雖然六症既明三虚不可不察三虚者何也脾虚腎虚肝虚也脾虚者飲食所傷也腎虚者色慾所傷也肝虚

乾葛石膏各一錢黃疸小便赤加茵陳一錢梔子木通各五分

若飲酒便泄此酒積熱泄也加黃連茵陳乾葛各一錢木香五分神麯麥芽各八分

若寒月溏泄清冷腹痛或傷生冷飲食加神麯山查麥芽各一錢砂仁木香益智各七分

若又瀉胃氣下陷脹利小便之藥而不効宜加人參黃芪各一錢以補中氣升麻柴胡各四分以升提之再加羌活防風藁本白芷等風藥各四分助風以平之更加煨乾薑五分以固之

若久泄脾胃虛弱食少難化加炙黄芪人參各一錢神麯麥芽各一錢二分木香煨乾姜各五分

若久瀉腸胃虛滑不禁加豆蔻一錢訶子皮赤石脂各一錢木香煨乾姜各五分

白术丸

黄芩炒五錢　白术炒二兩　白芍煨五錢　神麯炒　山查淨肉各兩五錢　半夏湯泡五錢

為末荷葉湯打米糊爲丸如梧桐子大每服五十丸食前滾白湯送下

昔有一老人奉養太過飲食傷脾常常泄瀉服

山查神麯川芎或吞保和丸○瀉水多者仍用五苓散久病大腸氣泄用熟地半两知母三分升麻乾葛各二分甘草一分為末粥為丸服之仍用艾炷如麥粒於百會穴灸三壯○脾泄當補其脾氣健運長用炒白术四两炒神麯三两煨芍藥三两半冬月及春初用肉荳蔻代之或散或湯○食積作泄宜再下之神麯大黄作丸服○脾泄已久大腸不禁此脾已脫宜急澁之用赤石脂肉豆蔻乾姜之類効也

主方

白术二分　白茯去皮　白芍煨各分半　此三味泄瀉必用

陳皮一分　甘草五分
若傷食泄黄或食積加神麯麥芽山茶各一分
炒黄連七分　消腹中窄陜飽悶再加厚朴枳實
木香各五分
若小便赤澁加猪苓澤瀉木通各乙分　以分利
之夏月再加茵陳七分　梔子炒四分
若口渴引飲加乾葛一分半　人參麥門冬各乙分
升麻滑石各四分　烏梅肉三個
若夏月之間温熱大行暑注水泄加炒黄連蒼
术澤瀉各乙分　升麻木通各五分　發熱燥渴加

者忿怒所傷也肝木邪尅土皆令泄瀉然腎泄肝瀉間或有之而脾泄恒多尔盖人便致泄瀉也多矣又當論之泄瀉瘧痢同乎一源多由暑月脾胃氣虛飲食傷損所致飲食纔傷便作則為泄瀉為輕飲食停積既久則為瘧痢為重而瘧與痢又有分別飲食痰充乎胸膈則為瘧疾飲食膠乎腸胃則為痢疾古人有言曰無痰不是瘧無積不是痢良有自也今之医者不能究病之源而徒執古人之方以便試之欲其病愈也胡可得乎

難經曰春傷於風夏生飱泄又曰溫多成五泄

肝者脾之賊木能勝土古人靈之經曰肝腎氣虚為病泄瀉亦詭知腎者所守司於下而肝者又門户要東之其東則不泄也泄瀉而面色青惨者古書謂肝經受寒所致特設當歸湯厚朴湯主之

泄瀉有○溼○火氣○氣虚○痰積○食積濕用四苓散加蒼术甚者蒼白术同加炒同燥溼并滲泄也火用四苓散加木通黄芩伐火利者在止用吐提在下陷者宜升提之用升麻防風○氣虚用人參白芍煨升麻○痰積宜豁之用海粉青黛黄芩神麯糊丸服在上同前○食積二陳湯加澤瀉蒼术白术

此便愈

祛濕分利飲

治諸泄瀉神効

猪苓君 澤瀉臣 赤苓臣 木通君去粗皮

蒼术君 制白术臣 車前 滑石三匙

條芩炒 陳皮

如飲食所傷加 神麯炒各半 山查各半 升麻五分

如氣下陷加 柴胡去芦五分 升麻三分

如熱盛加 黄連炒五分 梔子炒七分

如暑泄加 香薷各半去根 黄連炒六分

水鍾半灯心十茎煎八分空心熱服

姜連丸

治脾瀉

又治肝氣两脇痛楚不仁

宣黃連四兩去鬚切片生姜一斤切片同拌勻過一宿炒以姜乾為度取出姜將連為末米糊為丸如菉豆每服二錢或一分空心一服臨卧一服米湯下

燥溫止瀉湯

治久瀉不止

陳皮　柴胡去芦　梔子炒　蒼术米泔浸　羌活
白术炒　防風去芦　條芩炒　神麯炒各一錢
白芷　茯苓去皮　荳蔻煨　藁本　乾葛各七分
甘草　乾姜煨　木香各五分
官桂二分
用水一鍾半煎八分食遠溫服

止瀉散

白术四錢　陳皮二錢　蒼术制一錢　厚朴薑制八分
白茯去皮七分　澤泄一錢
為末量人大小米飲調下

參术湯

人參去芦五錢　附子炮去皮尖一錢五分

白术七分

用水一鍾半煎八分食前溫服

豆蔻香連丸

治小兒水泄痢疾

豆蔻一个　木香一錢二件一處用麵包炮

黃連一兩用吳茱萸炒乾去茱萸

右為末米糊為丸如黍米大每服七十丸

赤者粟米湯下白者厚朴湯下　泄瀉米湯下

单鳳散　方見痢門

水泄不止空心米湯調下神効

鄙續

泄者泄漏之意時　溏泄或作或愈

瀉者一時水去如注

温瀉腹不痛瀉水者是也

氣虛作瀉飲食入胃不住完穀不化者是也

火大渴腹痛泄水腸鳴瀉一陣痛一陣是也

痰瀉或多或少或泄或不泄者是也

食積腹痛盛而泄瀉後痛減者是也

右五瀉者濡泄腸鳴多水腸垢熱也

熱泄所下粘垢小便赤濇

鶩泄小便澄徹清冷寒也

飧泄所下米穀不化濕兼風也

虛泄脾虛氣弱元氣不足闌門不能分別水穀

滑瀉者瀉久不止大孔如竹筒直出無禁者氣將脫也難治

醫門秘旨卷之五終

醫門秘旨卷之六

血門

衄血

脉經云濇濡為亡血弦濇按之虛為脫血浮弱按之絶為下血煩咳者吐血沉弦必衄沉為吐血足陽明大而浮鼻衄吐血脉經在肌肉芤為失血濇為少血脉来懸鈎為衄血常脉胍至而搏衄身熱死腸澼下膿也弦絶則死滑大則生吐血唾血脉滑小弱者生弦強者死血溫身熱脉燥者死脉沉小留連或微者易治浮大洪數者難治凡血症身熱脉大者難治身

涼脉靜者易治（正氣養丸）衄血大抵如吐血余曰凡血症須用涼血散火如藥既非涼血又非散火何也蓋血病用血藥而不効者以其血之所藏無養也夫心主血肝藏血此方用川芎所以和血通肝而使血歸於肝脏也用香附所以開鬱行氣而使火散經絡也血歸火散何血病之不止哉

龍骨散　治鼻衄不止

用白龍骨不拘多少研為細末少許吹入鼻中愈

凡九竅出血皆可用此吹之

熨會法　治鼻衄屡驗

用燒紙七層水濕於頂門上以熨斗熨之即止

榴花散　治鼻衄如神

用千層葉石榴花燒存性吹入鼻孔内即止

蒜餅子　治鼻衄極効

用大蒜去殼搗如泥左鼻出敷左脚心右鼻出敷右脚心兩竅俱出左右俱敷即安

吐血

脉經云諸症失血皆見於芤脉隨其上下以驗所出大凡失血脉貴沉細設見浮大後必難治又云脉得諸濇濡弱為亾血脉來輕輕在肌肉尺中自浮目精

暉黃鼻衄未止大腸脉大而浮必衄吐血病人面無色無寒熱脉沉弦衄血也脉浮弱者重按之濇者下血脉芤為失血也濇為少血也尺脉滑而疾為血虚弦脉而緊脇痛脏傷有瘀血吐血唾血脉滑小弱者生實大者死唾血脉緊強者死滑者生腎脉小搏沉為腸澼下血

原病式曰衄者阳熱怫鬱於足陽明而上熱則血妄行鼻衄也血溢者上出也心養血故熱甚則有餘而妄行或為嘔吐紫凝血為寒者誤也此非冷凝由熱甚銷爍以為稠浊而熱甚則水化制之故赤兼黑而

為紫色也血泄熱客下焦而大小便血也衂衊血汚血出也心火熱極則血有餘熱氣上甚則為血液熱甚亢極則燥而汚濁宮承乃制則色蒸黑而為紫也丹溪云因火載血上錯經妄行脉必大而芤

犀角地黃湯

治傷寒汗下欝於經絡氣滯泄為衂血或溝道閉塞流入胃腹吐出清血停畱面色黄大便黒者

犀角　生地黃　白芍　牡丹皮各等分

右咀每服八錢水煎温服實者亦可服

四生湯

治吐血衂血陽盛於陰血熱妄行

生荷葉　生艾葉　生栢葉　生地黃各等分

搗爛丸如芡實大每服一丸水三鍾煎一鍾濾

過溫服

藕汁膏　治吐衄血不止

生藕汁　生地汁　大薊汁　生蜜半匙

右汁調和令勻每服一小鍾不拘時服

治舌衄歌

舌間有竅血無常　且取槐花畧炒黃

細末重羅乾糝上　須知奇病有奇方

凉血飲

一許亥年將六十無子原有痰火之症偶因有感而致於吐血屢医不効請余診之肝脉見乱以余御見此因怒甚傷肝不能納血矣遂製此方服四劑大安也

千年矮君　牡丹皮臣　薄荷佐

赤芍佐　生地黃君　黃連炒臣　青皮臣

犀角鎊君　柴胡去芦佐　香附使引　甘草使

枳實炒佐　梔子炒臣　側栢一錢　茅根同

用水鍾半煎八分入藕節汁半杯食遠熱服

五黃湯　治吐血衄血咯血唾血便血溺血瘀血

黃連炒　黃芩炒　黃栢各炒二錢　大黃一兩二錢

生地黃三錢酒洗浸一宿　水二鍾煎至一鍾熱服

嘔血

嘔血火載血上錯経妄行藥服大發熱喉中痛是氣虛用參芪蜜炙黃柏荊芥當歸生地用之嘔血韭汁童便姜汁磨鬱金同飲之其血自清也火載血上錯経妄行用四物湯加炒梔子童便韭汁服之又方用山茶花童便姜汁酒服又方用鬱金末治吐血入姜汁良又方用韭汁童便三物合鬱金末和服又方治吐血或衄血上行用鬱金如無以山茶花代之姜汁童便和勻調服即止後以犀角地黃湯加鬱金服效

怒氣逆甚則嘔血暴癉内逆肝肺相搏血溢鼻口但怒氣血症者則暴甚故経曰抑怒以全陰者是也否則五志之火動甚火載血上錯経妄行也用柴胡黄連黄芪地骨生熟芐白芍同水煎服虚者用保命生地散再加天門冬枸杞甘草等分水煎服之自愈

鄙續

欬血嗽而血出也咯血痰中血疙瘩也吐血嘔全血也衂血鼻出血也便血大便血也溺血小便血也瘀血血畜於中成紫塊也成塊血者是熱傷血結於中吐出亦好若脉大身熱者难治脉小畱連者易安也

便血

平肝湯

槐角炒一錢半　生地二錢酒洗　歸頭八分酒洗　柴胡去芦乙錢

條芩炒一錢半　枳殼麸炒八分　升麻六分　青皮去穰乙錢

黃連炒一錢　香附便制一錢　地榆一錢半　黃栢去皮炒乙錢

右咀用水鍾半加側栢葉四錢煎八分服

愈血湯　治便血重者二服輕者一服而瘥

宣黃連去鬚酒炒八錢　枳殼去穰麸炒四錢净

水鍾半煎八分空心熱服

烏梅丸　治大便下血

烏梅存性五分　槐黄炒焦三分　五倍二分半　白芷乙分半

醋糊丸如梧子大每服五十丸空心滚白湯下

和血飲　治大便下血

生地君酒洗　知母臣各忌鐵　地榆佐　木香使　宣連炒使

柴胡言佐去　升麻使　青皮佐　槐角臣炒　黄栢炒君

條芩炒臣　木通臣去皮　澤瀉臣　牡皮臣　梔子炒君

犀角鎊臣　側栢三分

用水鍾半煎八分空心熱服

加减槐角丸　治便血痔瘡

槐角炒　冬青子各三刃　地榆　苦參各二刃

右為末糊丸如梧子大每服八九十丸空心滚

白湯下

當帰和血散　治腸風下血

生地酒洗忌鉄器　槐角炒　青皮去穰　荆芥　白术各六分

帰身酒洗　升麻各乙分　川芎四分

右為末每服三分側栢湯調下

酒煮黄連丸　治血痢腸風下血

黄連十二刃酒五分煮乾　為末麪糊為丸滚白湯下

溺血

脉経云便血則芤数則赤黄实脉癃閉塞熱在膀胱

丹溪心法云屬熱與虛又曰下血之法不可純用寒凉必加辛味為佐久不愈者後用温劑必兼升舉藥中加酒炒凉藥酒煮黄連丸之類寒因熱用故也有熱四物加炒梔子升麻秦艽阿膠珠去腸濕熱屬虚者當歸散温四物加炮乾姜升麻凡用血藥不可單行單止

琥珀散　治溺血

梔子炒　生地忌鉄　小薊　滑石　通草

牛膝去芦各乙两　琥珀三分　共為末蒲黄葵竹葉藕節川歸甘草各半两煎水調服

升麻六一散　治小兒尿血

益元散乙刄　升麻三分為末拌匀

每服一匙井花水擂側栢葉汁空心調下

咳逆

脉經云浮為風緊為寒数為熱細為濕遲為寒又曰脉浮散者不治又曰咳逆者因痰與熱胃火者極多

丹溪曰○有痰○有氣虚○有陰火

咳逆氣也氣自臍下直衝上出於口而作声之鳴也

經曰諸逆衝上皆屬於火古方言胃弱而不及火以

丁香柿蔕竹茹陳皮治之謂審孰為降火孰為虚況

人之氣氣依胃養胃土傷損則水海之陰火所乘不得内守木挾相火故直衝清道而不止言胃弱者陰弱也虛之甚也

柿蒂湯　治胃膈痞滿咳逆

柿蒂　丁香各壹兩

右㕮咀每服三錢水鍾半姜三片煎服

鄙續

胃火上衝而逆隨口應起於上膈病者知之易治也自臍下直冲上出於口者陰火上冲難治俗名為之打呃是也柿蒂為引不用丁香亦効

咳嗽

脉経云脉浮風緊寒数熱細湿房劳脉濇右関濡者飲食傷脾左関弦短疲極肝衰浮短肺傷法當咳嗽五脏之嗽各是本部浮緊虚寒沉数実熱沉滑多痰弦濇少血形盛脉細不足以息沉小伏匿皆是死脉惟有浮大而嗽者生外症内脉参考称停

子和曰素問言皮毛者肺之合也邪因而客之則為肺嗽後人見是咳嗽為寒更不叅較也偏豈之六氣皆能為嗽然可以辯其痰之状

戴云風寒者鼻塞声重悪寒者是也火者有声痰少

面赤者是也勞者盜汗出兼痰者多作寒熱肺脹者動則喘滿氣急息重痰者嗽動便有痰声痰出嗽止五者大槩耳亦當明其是否也

病機要云咳謂無痰而有声肺氣傷而不清也嗽謂無声而有痰脾濕動而生痰也咳嗽謂有声有痰因傷脾氣動於濕而生痰咳嗽也

主方

杏仁去皮尖 白茯去皮 橘紅去白 五味子 桔梗去芦 甘草各五分

春作上升之氣宜潤肺抑肝加川芎芍藥半夏各

麥門冬去心 黄芩炒 知母去皮毛 春看傷風致嗽

鼻流清涕宜辛凉解散加防風薄荷紫蘇黄芩麥門各乙分夏多火熱炎上最重宜清金降火加桑白知母黄芩石膏麥門冬各乙分秋多濕熱傷肺宜清熱瀉濕加蒼术桑白各乙分黄芩梔子炒各五分冬多風寒外感宜散表行痰加麻黄桂枝半夏生姜防風各乙分肺經素有熱者再加黄芩知母各五分若發熱頭痛鼻塞身重加羌藁本川芎前胡柴胡絡若有痰加半夏枳殼風痰再加南星姜汁制濕痰脾困少食加白术蒼术有痰而口燥咽乾勿用半夏南星宜加知母蜜水拌炒貝母瓜蔞仁黄芩炒若

夏熱痰或素熱有痰加黄連黄芩知母石膏上半日嗽者胃中有火加貝母石膏黄連炒五更嗽者胃中有食積痰治法黄昏嗽者火浮於肺宜正治用寒凉藥加五味子柯子皮斂而降之若咳嗽久肺虚滋氣補血加人參黄芪阿膠當歸生姜天門冬款冬花馬兜鈴芍藥之類肺熱咳嗽去人參用沙參此兼補氣血也若午後嗽屬陰虚即劳嗽也宜補陰降火加川芎芍藥熟地黄栢知母姜汁竹瀝天門冬瓜蔞仁貝母此専補陰血也若火鬱嗽而痰鬱火邪在中須用開鬱消痰訶子痰童便制

香附瓜蔞仁半夏麯海石青黛黄芩為末煉蜜為丸噙化仍服前補陰降火湯藥若失則成癆也若痰積食積作咳嗽者用香附瓜蔞仁貝母海石青黛半夏麯軟石膏山查枳实炒黄連末蜜調噙化

五拗湯　治風寒咳嗽肺喘

麻黄不去節　杏仁不去皮　荊芥穗　桔梗各等分

右用生姜三片同煎温服咽喉痛甚者煎後加朴硝少許　一方去桔梗荊芥用半夏枳实半分

鄙續

風寒咳者鼻塞声重惡寒声啞屬寒寒包熱也喘急

遇冬則發亦寒包熱也火者有声痰少面赤乾咯是也肺脹而嗽嗽則喘滿氣急息重是也痰嗽者痰出嗽止是也胃中食積作嗽者五更嗽多者是也陰虛者午後嗽多是也肺火者黃昏嗽多者是也其肺在上藥必久服方得取効不可輕用粟殼訶子五倍之類劫之以致成虛火之患也

痰門

脉經云浮當吐澀难開脉大者膈上有痰可吐之或伏或大者痰眼皮及眼下如灰煙黒者如脉洪滑大

丹溪曰諸病尋痰火痰火生異症痰之為物随氣升

降無處不到有熱痰湿痰食積痰風痰老痰寒痰

二陳湯

陳皮去白　半夏湯泡　白茯去皮　甘草少許

用水二鍾姜三片煎一鍾温服

潤下丸　降痰甚妙

南星姜制　黄芩炒　黄連炒　甘草各一两

半夏二两依橘制　橘紅半斤以水化盐五分調令匀煮乾烘燥

右末蒸餅丸如菉豆大每服五六十丸滚白湯

送下若加梔子炒用

竹瀝達痰丸

半夏泡七次再用姜汁浸透晒乾 陳皮去白 白茯去皮 白术炒各二两
大黄無灰酒浸透各二两 人參去芦 礞石制 甘草半生半熟各乙两
黄芩炒三两 沉香五分
右末用竹瀝一大椀拌姜汁二酒鍾和匀入砂鍋内火熬一刻許令熱將前藥末調如稀醬樣以磁器盛之晒乾如此三次仍以竹瀝和丸如小菉豆大每服乙百丸滚白湯下能運痰於大腸從大便出此藥不損元氣主能運達如神聞丹溪云痰在四肢非竹瀝姜汁不能達也信哉

地黄丸 治諸痰火有効

大黄乙斤用好酒乙斤浸三日漉去一層柳葉一層大黄如此三層蒸熟取去柳將大黄晒乾

川巴戟水浸去心取净肉四兩晒

右為末取竹瀝打米糊為丸用沉香細末伍錢為衣每服五十丸臨卧茶送下次日見痰無礙

除湿化痰湯　治女人湿熱白帶

陳皮去白　半夏泡　赤茯去皮　黄栢炒各乙錢　甘草二分

南星姜汁浸　黄連炒　川芎各八分　白术煨二錢二分

蒼术米泔浸二錢半　香附童便浸乙宿炒黑色乙錢

用水鍾半姜三片煎八分熱服

礞石滚痰丸

黄芩炒　大黄九蒸九晒各四两　礞石焰硝火煨五钱　沉香弍钱半

右末水糊為丸如梧子大每服五十丸白湯下

加减潤下丸

南星姜製　粉草　黄連炒各五钱　片芩炒　梔子炒

香附　半夏湯泡各乙两　陳皮四两用塩五钱泡水浸去白

右末米糊丸如梧子大每服六七十丸白湯下

流經丸

桔梗去芦四两　黄芩炒乙斤　當帰乙斤酒浸洗乙宿去帰酒听用

枳殼麸炒四两　礞石制二两　大黄用帰酒浸共蒸三次酒浸為度一斤

南星姜製乙两　沉香乙两　硼砂两半

半夏半斤用白凡皂角生姜共煮無星去凡角姜晒干為末用

右末水丸如菉豆大每服五六十丸臨卧滚白湯送下

加减二陳湯　化痰抑火開鬱

半夏湯泡一錢半　陳皮鹽水浸一宿晒乾一錢二分　白茯去皮七分　甘草三分

黄芩炒一錢　香附童便浸一宿晒乾一錢二分　天花乙錢二分　蔞仁七分

右咀水二鍾姜三片煎八分熱服

化痰丸　清痰降火利上焦之藥

半夏麯二两　黄連炒两半　茯神去皮心二两　黄芩炒

天花粉去皮　梔子炒各二两　黄栢去粗皮炒两半　陳皮二两

當歸身酒洗乙兩　貝母去心三兩　香附童便浸乙宿乾兩半

右末糊丸如菉豆大每服乙系食遠滾白湯下

噙化丸　化痰清熱寧肺愈嗽

天門冬乙兩　海石煅乙兩　風化硝三系　柿霜一兩　青黛五系

瓜蔞霜乙兩　黄芩酒炒乙兩　連喬去心子三系　橘紅一兩　桔梗五系

右為細末煉蜜丸如龍眼大食遠噙化

賽滾痰丸　下痰如神

黑丑末四兩　明礬一兩半　大皂莢去皮膜子乙兩大禾

右為細末以水為丸或米飲亦可每服六七分

量人虛实至乙錢止極効

部續

熱痰　酒痰　面紅脉數　湿痰肥人多有其痰清

食積痰者脾胃受傷清氣不舒飲食不化五更嗽多

面黄者是也風痰者痰如白沫多蔫半身不遂老痰

者積久稠粘結於喉中成塊咯吐不出者是也寒痰

者遇寒則嗽有痰者是也治痰者宜先順氣氣降則

痰降不可專泥於痰也

喘

脉経云喘逆上氣脉數有熱不得卧者難治上氣面

浮腫肩息脉浮大者徹上氣喘息低昂脉滑手足温

者生脉濇四肢寒者死在寸沉寔而緊為肺感風邪亦有六部俱伏者宜𤼵散則熱退而喘定左寸沉寔為寔左尺大為腎虛

丹溪海喘急者氣為火所鬱而火在肺胃也喘須分虛寔久病是氣虛用阿膠人参五味子補之新病是氣寔用桑白皮葶藶瀉之

蘇子飲　治風寒咳嗽定喘神効

紫蘇八分　乾葛一钱　前胡一钱　半夏泡一钱　桔梗七分

陳皮八分去白　杏仁一钱去皮尖　羌活一钱　桑白皮八分　甘草三分

水鍾半姜三片葱一莖煎八分热服取微汗效

定喘散

鬱金三两　甘草一两　陳皮去白二两

共為細末每服一匙滚白湯調下

瀉肺湯新喘宜用

葶藶炒一錢　桑白皮八分　陳皮去白一錢　桔梗八分　石膏一錢

梔子炒一錢　瓜蔞仁七分　半夏制一錢半　甘草三分

水一鍾半姜三片煎八分食遠熱服

補肺湯久喘宜用

阿膠蛤粉炒一錢　五味子九粒　馬兜七分　天門去心一錢　人參去蘆六分

杏仁去皮个　半夏麴一錢　桔梗去蘆七分　麥門去心个

水鍾半煎八分食遠徐徐服

御續

火喘者乍進乍退得食則減胃虚喘者擡肩擷肚喘而不休痰喘者喘急有痰声也氣喘急者呼吸急促而無痰声也氣虚氣短者氣不足息也陰虚者自小腹臍下火起而上逆作喘者是也脉濇手足冷者難治手足温者則易安也

欬

丹溪曰專主於痰宜用吐法亦有虚而不可吐者必薄滋味不可純用凉藥必兼發散表藥

五拗湯

麻黄一兩去節 杏仁公翁盞皮米 石膏二匙 甘草三分 半夏一兩

水鍾半姜三片煎八分小盃徐徐熱服

刼齁丸

用砒四两研為末以猪牙皂角四两槌末用水四椀将砒懸煮水尽為度取出晒乾以青魚脳子乙斤同砒拌匀又用半夏四两為末共砒齐入陽城礶内水濫封固如法打火三炷香冷定取出上有灵藥研為末麪糊丸如梧子大硃砂仍衣每服一九空心冷茶吞重者三五服輕者二三服哮止妙

忌生冷葷腥等物如病人年老虛弱者不可治

治哮方

人言一分　明礬二分　半夏三分　南星五分鍛製　青苔三分

用青苔為丸如菉豆大每服五七九茶清送下

驚悸

脉經云心中驚悸脉必代結飲食之悸沉伏動滑又曰寸動而弱動為驚弱為悸阳脉微而浮微胃氣虛為則不能食如恐怖狀憂而迫所作也寸口緊跳陽浮滑氣虛是以悸

丹溪曰血虛有痰有慮便動驚虛時作時止者火與

痰也痰因火動瘦人是血少名為怔忡

益榮湯　治思慮过度損傷心血天君不寧恍惚夜間多夢小便赤白濁

當歸酒洗　茯神去皮木　黄芪　酸棗仁炒　人參去芦　木香不見火　小草　紫石英各乙刃　甘草五分　麥門冬去心　白芍煨　栢子仁炒各乙刃

右咀每服八錢水鍾半姜三片棗一枚煎八分食遠溫服

安神丸　治勞神過度以致心神不安

硃砂水飛二分　酸棗仁炒三分　黄連炒三分　栢子仁二分三

生地酒洗乙〆　當歸酒洗乙〆　共為末米糊丸如黍光

大每服五十丸滚白湯送下

加減猪心血丸

硃砂　白芍煨　歸身酒洗　側栢各三〆

川芎　人參去芦　陳皮去白　甘草各一〆

白朮二〆　黄連炒〆半　共為末以猪心中血為

丸如粟大每服五六十丸食遠竹茹湯吞下

歸神丹　治驚悸怔忡及顛癇神不守舍等症

龍齒　琥珀　遠志姜制各乙〆　酸棗仁炒

羅參　當歸　白茯去皮各二〆　金銀箔各廿張

顆塊硃砂 猪心血内酒蒸

右為末酒打米糊丸如梧子大每服三十丸麥門冬湯送下酸棗仁湯亦可

硃砂安神丸

治心煩懊憹心乱怔忡氣乱心下痞悶食物反吐等症

硃砂四分 黄連炒五分 甘草二分半

右為末打糊為丸如梧子大每服十五丸唾津送下 加栢子仁炙 酸棗仁炒乙分尤効

鄙續

怔忡者乃心血不足也心下不安惕惕然如人將捕之狀心跳亦是血少有虛便動屬虛時作時止屬火瘦人多是血少肥人多是痰病亦有胃火薰蒸神不安者宜降胃火即安矣

顛狂

脉經云顛癇之脉浮洪洪大長滑大堅疾痰蓄心狂又曰乍大乍小乍短乍長皆屬邪脉神志昏亂

原病式曰所論甚精蓋以世為重陰為狂重陽者為顛也大槩皆是熱耳

脉經云洪長伏為風癇弦細緩為諸癇浮為阳癇沉

為陰癇虛弦為驚沉數為實熱弱沉小急實者虛而弦急者皆不治也

治大人小兒痰迷心竅一切風疾

珍珠五胆丸

半夏二兩五錢姜汁泡七次　南星一兩五錢切片地上空一坑用炭火燒熱入坑中用老米醋一盞烹待少時取出却將二味晒乾取犍猪胆雄狗胆羊胆雄雞胆各五個鯉魚胆十箇以汁浸待胆汁乾為末餡合時細加後藥

白附子　珍珠制　琥珀　硃砂　薄荷各五錢

金箔五十張為衣

右末用薄荷二兩煎湯打糊為丸如菉豆大合

昔忌婦人雞犬見每服三五十丸姜湯送下

四制陳皮丸　治痰壅甚久不愈

陳皮去白乙斤分為四処一分乳制乙分童便制乙分酒制乙分塩水制俱浸晒乾

牛胆南星　白芥子　蘿蔔子　黄連各弍刄

右為末米打糊丸如梧子大每服六十丸淡白湯送下

倒痰方

玄胡索乙刄　皂角末五分　青黛少許

每用少許水調灌入鼻内口含竹筒少刻痰即出止可去上膈之痰屢用如神

梨汁飲　治痰壅甚

梨汁乙鍾　生姜汁半鍾　蜜半鍾　薄荷三刄蘇州住

共一処重湯滚十数次不拘時服

治痰丸

大黄酒浸九蒸九晒四刄　香附制　桔梗各二刄半

石膏四刄　蘇子乙刄　陳皮去白　梔子各三刄炒

片芩炒　瓜蔞各二刄

右末煉蜜丸如弾子大每用一丸噙化日進三四次効

碧玉丸　吐痰神効

銅緑三分　鍾乳粉五分　共為末葱汁為丸如菉豆

丸每服十丸白湯送下少頃痰吐如湧泉

吐痰法

用鮮蝦乙斤去鬚殼煮令熟入葱先用熟食與患者徐徐服之已盡隨用蝦湯以服之少頃不吐可用鵝翎蘸桐油此須於舌上近咽喉探之以吐為度

又法用塩入滚水内將滚湯徐徐服一二擁仍如前用鵝翎探吐之痰出為度

鄐續

邪祟之症似顛而非顛有時明有時昏但心者一身

之主清淨之府外有包絡以羅之其中精華之聚粹者名之曰神通脉脉察纖毫無所紊乱稍有濁痰流入其中以主宰故眛其明語言交錯或精氣赤汁流通遂去濁物其言猶復旧也此名為痰迷心竅之患非邪祟也若以符水治邪祟用蜜其膏以客其外不治此乃上膈之痰理宜先用吐法後當清痰順氣安神之藥調之病即安矣○癡勇者口有声有沫火者有熱面赤脉数是也癎乃痰疾病侶馬羊雞犬猪故有五癎應五臓不必多配大率主痰也重阳者狂罵詈不避親踈重陰者顛語言交錯不嘉二病雖分脉

所以多主於熱與痰耳

痰飲

脉經云偏弦為飲不弦但若喘短氣浮而細滑傷飲弦數為寒飲冬夏難治沉弦為懸飲内痛沉留飲

黄龙丸

南星制 半夏湯泡 寒灵茶 朴硝 五味子

硼砂 薄荷 白藥煎 児茶各乙刃

硃砂 雄黄 好沉香 木香各三分

松花三刃 共為細末先用搥梅膏二兩拌勻徐徐下白砂糖搥為丸如芡實大用金箔為衣每將

一九嗆化能生津洄止咳嗽化老痰破滯氣行瘀血除堅積一切痰火皆有奇効

痓症

丹溪云因氣血内虚四氣襲不可作風癇治大率與癇相侶比癇為甚為虚宜帶補若是氣虚有火兼痰用人参竹瀝之類不可用風藥慎哉慎哉又曰諸項強直皆屬於溼

余按痓症發作通身而戦掉皆因氣虚挾痰火所致正猶火炎而旋轉也火能燥物而使氣液之不足是世人不諳誤認為風而用風藥風能勝溼是不足之中

又見損也王樞金鑰曰休治風休治燥治得火時風燥了謂火為標謂風燥為本治其火則是散風而潤燥何風燥之有哉此痓症所以宜補氣而兼散痰

祛痓如神湯　治陰陽二痓之症

茯神八分去皮　黃連炒六分　香附米制六分　人參六分　橘紅八分　甘草三分　南星制五分　山梔仁炒一錢　黃芪八分　半夏一錢

用水一鍾半煎八分入姜汁三匙竹瀝半酒盃食遠熱服　有汗者名曰柔痓參芪倍加

葛根湯

治痓病無汗而小便少或惡寒者名剛痓

葛根四刄　麻黄去節三禾　桂枝二禾
芍藥煨　甘草炙各二禾
右咀水鍾半姜三片枣一枚煎八分熱服取微汗

陳皮飲

治痓病有汗不悪寒者服之此名柔痓
芍藥煨六分　桂枝五分　陳皮去白乙禾
茯苓去皮九　乾葛七分　甘草二分　半夏湯泡分
右咀水煎入竹瀝半酒杯姜汁一二匙服　二痓皆可用小續命湯加減服如胸滿口禁咬嚙脚攣臥不著床者以大承氣湯下之無疑矣

醫門秘旨目録 七卷

開竅飲

御纘

鼻病　　王節齋論　　飛霞方

丹溪辯　　憨仙治法　　辛荑散

御纘

醫門秘旨卷之七

虛門

自汗

脉経云汗脉浮虛或濇或濡軟散洪大渴飲無餘

止汗散　治自汗之聖藥

知母忌鉄去毛　石膏　人參去芦　地骨皮洗

甘草　葶藶　茯苓去皮　麻黄根

赤芍各刃半　杏仁去皮尖炒五分

右為末每服壹分浮麥煎湯調服

當歸六黄湯　治盗汗自汗如神

黄連炒六分 黄芩炒七分 黄栢炒八分 黄芪二介

生地酒洗 熟地各乙介

右㕮咀用水一鍾半煎八分食逺熱服

盗汗

戴曰盗汗者謂睡而汗出也不睡則不能汗出方睡熟也溱溱然出焉覺則止而不復出many非若自汗而自出也雜病盗汗責其陽虚與傷寒盗汗非比之亦是心虚所致宜歛心氣益腎水使陰陽調和水火升降其汗自止也○盗汗爲血虚○陰虚小兒不須治

必須忌生姜

東垣方用當歸六黄湯甚効但藥性寒人虚者只有黄芪六一湯訣○盜汗發熱脉虚用四物湯加黄栢兼氣加人參黄芪白术

艾葉散　專治心孔一片有汗思慮多則汗亦多病在心宜養心血

艾葉煎湯調茯苓末壹錢服之極効

塡臍散

用五倍子為末以唾調塡臍上絹帛縛定極効

鄙續

氣虚自汗　腠理踈濶漬漬然出之無時右脈軟弱

或濡而無力○濕甚生汗者肥白多濕々熱病者有出也脉沉而濡○痰病生汗者内有痰涎脉下沉滑陽明胃熱則多汗火氣上蒸胃中之濕亦汗也

盗汗屬陰明血不足故睡中出汗醒时即止脉數而無力○陰虛出汗有相火病症者是也○當心部一塊出者為心液太甚乃思慮过度而成者也○自汗者黄芪人参之類○盗汗者知母黄栢玄參之属○小兒又汗頭上如两者不治

諸虛

脉經云平人脉大爲虛浮大裡虛虛弱細微者盗汗

大而無力阳虛数而無力阴虛寸弱而軟上虛尺顫
滑而濇下虛尺滑濇疾血虛兩関沉细為虛脉弱骨
肉相失声散嘔血陰爭不禁昼凉夜燒者死
丹溪云陰虛發熱难治戴曰脉数而無力為陰虗也
四物湯加炒梔子黄柏黄芩敗龜板兼氣虛加人参
黄芪白术○四物加黄柏是降火補陰之藥甚者必
加龜板喫酒發熱难治不飲酒人因酒發熱亦难治
酒發熱用青黛瓜蔞仁每日同姜汁数匙入口中三
日而愈○阳虛發熱者補中益氣湯○手足心熱鬱
火火鬱傷寒寒熱當用表散○發熱柴胡惡寒蒼术

若虛人用蒼术恐燥若發熱惡風人壯氣實者宜先表散發熱惡風寒亦宜解表

益氣湯　治陽虛發熱又患虛癆

黄芪蜜炙二錢　升麻五分　人參去芦一錢　白术土炒七錢半

當歸酒浸一錢　甘草五分　柴胡去芦五分　陳皮去白七分半

每服一兩水鍾半煎八分食遠温服

四君子湯

人參去芦錢半　白术土炒　茯苓去皮各一錢　甘草五分

水煎服如有汗小水利者去茯苓加黄芪二錢

若無汗小便不利者依本方補氣藥也

四物湯　治血虚之症

當歸酒洗　川芎　白芍各一錢半　熟地酒洗二錢

水鍾半煎八分食远服　如春倍加川芎

夏倍加芍藥　秋倍加地黄　冬倍加當歸

十全大補湯　治氣血俱虚而夾寒暑者

人参去芦　當歸酒洗　甘草　白芍煨　川芎

白茯去皮　熟地酒洗　白术　黄芪寺分　肉桂少許

水鍾半姜三片棗二枚煎八分食遠温服

地仙散　薄荷　防風去芦　地骨皮各二錢半

甘草稍炙一錢　烏梅肉七分半

右五味用水煎三次午後頓服凡年四十以下患勞怯不宜補藥只先退潮熱調理可愈此方退熱如神方外有接天梯之術先用此藥

清熱湯　治癆病骨蒸潮熱

北柴胡　前胡各去芦三禾

用水一鍾半煎八分濾去滓仍入磺内加童便三小杯酒一盃豬胆一箇豬脊髓一條入磺内韭菜根洗去土連鬚七根再煎一二沸

補陰丸

黄栢半斤去粗皮塩水洗炒　熟地酒洗　知母去毛皮酒浸炒　白芍煨

知母去毛皮酒浸炒　陳皮　當歸酒浸各三兩

敗龜板酒炙四兩　鎖陽　虎脛骨酒洗稍炙各乙兩

右為末羊肉為丸如梧子大每服五十丸鹽湯送下冬加姜半兩

六味地黃丸

山藥去粗皮　山茱萸各四兩　澤瀉二兩

熟地酒洗八兩　牡丹皮去骨　白茯去皮各三兩

右為末煉蜜丸如梧子大每服五十丸滚湯下

人參固本丸

天麥門各去心　生熟地各酒洗　人參去芦等分

右為末煉蜜丸如梧子大每服五六十丸空心

淡鹽湯送下

八寶至靈丹

何首烏赤白二斤酒浸竹刀切去皮同牛膝蒸

川牛膝半斤去芦用黑豆三升同何首烏蒸取出共搗成泥

赤茯苓去粗皮乙斤用牛乳五升煮乾乳為度為末

白茯苓去皮乙斤用人乳五升煮乾銀器煮切作棊子塊

兎絲子半斤用酒浸洗搗成泥晒乾為極細末听用

川當歸全用去土泥四兩用無灰酒浸洗晒乾為末

破故紙半斤炒香為度　枸杞子半斤酒洗焙乾為末俱忌鐵器

右為末煉蜜丸如芡實大每服壹丸日進三服空心温酒午後姜湯臨睡淡塩湯送下服至三五月後必有異効也

鹿角霜丸

黃栢 半斤去粗皮用人乳拌匀晒乾如此三次炒褐色或六兩七兩隨時加減

人參 去芦 天麥門 去心 生熟地 酒洗各二兩 鹿角霜 八兩

右為末煉蜜丸如梧子大每服六七十丸加至百丸空心淡塩湯送下或酒亦可

大造丸

紫河車一具 川黃栢 酒炒兩半 杜仲 酥炒斷糸兩半

敗龜板酒炙二两　牡蛎煨　人參去芦各乙两

當歸身酒洗二两　牛膝去芦酒洗　天麥門去心各一两二钱

生地黄二两五钱用砂仁六钱茯苓二两先灰酒煮至地黄心里了为度去砂苓

右為末煉蜜丸如梧子大每服七八十丸空心淡盐湯送下夏月加五味子七钱

坎離丸　治上盛下虚陰虚火動此藥早間晚間服之最能滋陰降火

肥知母去皮毛二两酒盐各炒一两褐色忌鉄器　川黄栢去粗皮二两蜜炙火

右為末用山藥細末打糊丸如梧子大辰砂水飛过細末五錢為衣每服五六十丸臨卧蓮子

湯送下若陰虛火動加地黃二兩用茯苓二兩

砂仁六分酒煮去苓砂將黃和為丸

夢遺

水陸二仙丹　治遺精白濁

金櫻子去毛去子搥成膏煮如蜜　芡實去殼晒乾等分研成末

將金櫻膏和芡實末丸如梧子大每空心滾白

湯送下七八十丸加秋石為引佳若加蓮蘂

石蓮肉等分名思仙丹尤効

固精丸　治心神不定神虛包遺

知母忌鉄　黃栢炒各乙兩　茯苓去皮　遠志各去心

牡蛎煆煆　龙骨煆　芡實　蓮蕋各乙两

一方有茱萸肉三两共為末山藥糊丸如梧子火

硃砂為衣每服五六十丸空心淡塩湯送下

清心蓮子飲　治心熱憂迁赤白屋熱淋症

人參去芦　黄芪　石蓮子去殼　麥門冬去心　地骨皮

甘草　白茯去皮　車前子　黄芩炒各寺分

水鍾半姜三片煎八分人遠熱服

神芎湯　治久迁腎氣下陷玉門不與不时漏精

此藥升提腎水歸源

升麻　川芎　人參去芦　枸杞　甘草

遠志　黃芪　杜仲酥炒断絲　白术　當歸身

地骨皮　破故紙等分

用水二鍾家蓮子七個煎服如無家蓮子入蓮花鬚亦可

鄙續

夢遗者夜夢與人交而泄精是也　精滑者自遗不知皆相火所為也熱則流通虚則下溜又有濕熱湿痰為病當審詳之

肺癰

脉経云寸数而實肺癰已成寸緩虚濇肺痿之形肺

癰色白脉宜短濇疮者浮大不白而赤

又方

蓮翹去心　梔子炒各一錢　茅根洗去土三錢　片芩炒八分　金銀花

苦參　紅棗各一錢　先以此洗之後用　白芨石

生地忌鐵器　川歸各酒洗　桔梗　甘草为佐使　以補之

鄙續

先以茅根洗肺之藥繼以白芨補肺之劑調之安矣

肺痿

内經曰肺熱葉焦五脏因而得之發為痿乃心氣熱

生肺痿骨痿手足不任身然治痿独取陽明者五脏

六腑之海主潤宗筋宗觔主束骨而利机関也云故陽明虚則宗觔緩滯不引故足痿不用也原病式云痿屬肺經其肺主氣氣病其氣膹鬱於手足痿弱不收特由肺經本燥則血涸衰少不能荣養百骸故也

惡心

惡心有痰有熱皆用生薑隨症佐藥　惡心者無声無物心中欲吐不吐欲嘔不嘔雖曰惡心實非心經之病皆在胃口上宜用生姜開胃豁痰也

加味二陳湯

半夏湯泡 陳皮去白 茯苓去皮 芩連炒各壹錢半
藿香一錢 甘草三分 山梔仁炒七分
用水一鍾半姜三片煎八分熱服

嘔吐

脉經云浮而洪為氣浮而匿為積沉而遲為寒大陰
脉浮胃虚匿而不食恐怖者難治寬緩者生
諸嘔吐酸皆属於肝火
又云滑数為嘔代者霍乱微滑者生濇数凶断
丹溪曰有声有物謂之嘔吐有声無物謂之噦胃中
有熱膈上有痰二陳湯加炒梔子黄連生姜有久病

嘔者胃虛不納谷也用人参生姜黄芪白术香附類

嘔吐朱奉議以半夏陳皮生姜為主

河澗謂嘔火氣炎上此特一端耳○有痰隔中焦食不得下者有痰逆者有寒氣鬱於胃中者也有濕滯心肺之分而新食不得下而反出者有胃中有火與痰而嘔者○嘔吐之症用藥忌瓜蔞杏仁桃仁蘿蔔子梔子皆悪也丸藥帶香行散不妨諸般大吐渇飲水者即死童便飲之最妙

廣考云三因方言嘔吐症忌用利藥此言其常然大小腸膀胱熱結而不通上作嘔吐隔食若不用利藥

開通發泄則嘔吐何由而止或只嘔吐大小便不閉濇者此利藥又當所忌也

節續

得食即嘔胃火也食久則吐脉遲胃寒也不能納食脉微而吐胃虛也宿食不化新穀不消食鬱也痰氣壅滯食不下作嘔痰氣也○血病者有物無声謂之吐氣病者無物有声謂之噦血氣俱病者有物有声謂之嘔吐胃中有熱而作惡心嘔酸內有熱脉浮大而滑數煩渴是也胃中有寒氣作惡心清水不渴脉遲或知受寒或食寒物而作者是也

霍亂

脉經云滑數為嘔代者霍亂微滑者生濇數凶斷又曰滑而不匀必是吐泄霍亂之候脉代勿訝

丹溪云内有所積外有所感致成吐泄仍用二陳湯加減作吐以提起氣此非鬼神皆屬飲食前人確論乃陽不升陰不降乖隔而成切莫與穀食雖米飲一呷入口即死必待吐瀉过三二時直至飢甚方可與粥食之脉多伏欲絶見成吐瀉不徹还用吐提其氣或用樟木煎湯吐之亦可大法生姜理中湯最好不渴者可用如渴者用五苓散有吐者用二陳湯探吐

亦可下者轉劾不住男手以手挽其陰女手以手揣其乳近兩邊千金妙法也轉筋皆屬於肝熱四物湯加黃芩紅花蒼朮南星煎服○乾霍乱者最難治死在須臾升降不通當宜吐提其氣極是良法世多用塩湯此係内有物所傷外有邪氣所遏有用吐者則兼發散之意有用温藥解散不可用凉藥宜用二陳湯加解散藥最妙

六和湯　治霍乱極効

杏仁去皮尖　半夏湯泡七次　砂仁　茯苓去皮　藿香

扁豆　人參去芦　木瓜各一兩　甘草三分　香薷

厚朴　姜棗

水鍾半煎八分食遠溫服

加減藿香正氣散

治霍亂轉觔泄瀉及時令不正之疾

藿香君　半夏湯泡君　陳皮去白君　紫蘇臣　大腹皮

茯苓去皮臣　香附制臣　桔梗去芦佐　蒼朮米泔浸佐　厚朴佐

白芷使　甘草使

水鍾半姜三片棗二枚煎八分食遠熱服

如飲食所傷而致加神麯山查麥芽各君

如因於暑加黃連臣　香薷君

如因於寒倍加紫蘇乾葛

衂續

霍乱之疾切不可米飲服之惟藿香正氣散斟酌加減有効轉觔之疾唐掖院公云挽明棒乳之法不𢑽推忽然立起即止此百發百中也

關格

難經曰關則不得小便格則吐逆素問云謂人迎大四倍於氣口名曰格氣口大四倍於人迎名曰関乃二症也盖有格而不関者亦有関而不格者又或有人迎氣口俱盛而吐逆不便者曰関格丹溪則揔結

萬曆壬辰余以此治
治一十三歲童女連
吹氣入胞三次用三
次約茶時即通其
不通已兩晝夜諸方

祖傳經驗秘方

治關格吐逆小便不通用藿香平胃散合五苓散
加姜棗煎服効

節續

關則無出之由格則無入之理每忌下予昔用霹靂
審導法屢医數人皆効盖關甚者當通耳宜詳審之

〇小便不通

治法小便不通諸藥無効或轉胞至死者用猪尿胞
一個傾出尿用鵝毛筒去頭尾插入竅内將線縛定
以口吹氣令滿胞仍將管口放在小便上竅手搓其

藥不効施此効甚

氣透裡小便即出

又法以猪胆連汁籠住小便火須汁入自通

孕婦小便閉是胎壓膀胱用有力之人将婦倒提以足朝天一二次即愈或愠水浴之亦通

又方將塩填臍上用艾灸内熱即通

淋閉

草薢分清飲

治真元不足下焦虚寒小便白濁頻數無度旋面如油光彩不定漩脚澄下凝結如膏糊狀者

石菖蒲　益智仁　川草薢　白茯　烏藥各一錢

甘草稍五分　水鍾半入鹽一錢煎八分空心服

固水丸　治淋濁

蓮蕋　黃連炒各二兩　茯苓去皮　砂仁　益智

半夏制　黃栢炒各一兩　甘草三分　猪苓二兩五錢

右末米糊為丸每服五十空心溫酒送下

斷續

小便不禁白者為氣虚之症氣虚不禁右尺脉大是尺脉洪大小便黃赤無痰此多是熱不禁不痛為溺血痛者血淋也熱淋者痛甚乃熱之故也砂石淋者乃砂石形狀也勞淋謂虚故也〇氣血不能施化以

致小便不通痰氣閉塞於下焦亦令小便閉結也

閉結

蜜導法凡諸閉結不通或兼他症又或老弱虛急不可用藥用蜜入皂角末少許同熬至蜜老乘熱撚如棗子大以紙筒為胃納入谷道中良久即通

又法猪胆一大個入醋少許用竹管插入胆竅內扎定以筒入谷道半寸用手擠汁入透即通

潤腸丸　能潤血燥大便不通

當歸酒洗　桃仁去皮尖　枳殼去穰　生地酒洗　火麻仁各一兩

厚朴六錢　條芩炒一兩　大黃煨一兩

右末煉蜜丸如梧子大每服五六十丸空心滚
白湯送下

歌續

血虛者脉数而無力以致大腸枯燥而閉胃強脾弱
者亦熱血虛老年之人多有之有火者面赤脉数其
閉結者當下脉数而無力虛努逆痛不堪此乃氣虛
作閉有風有溫有寒者便宜詳審分而治之其候多
面黄也

氣門

欝

氣血冲和百病不生一有怫鬱諸病生焉經云木鬱達之謂吐之令條達也火鬱發之謂汗之令疎散也土鬱奪之謂下之令無壅滯也金鬱泄之謂滲泄解表利小便也水鬱折之謂抑之制其冲逆也此治鬱大法惟諸火所屬不同故曰當看何經矣

越鞠丸　解諸鬱神効

香附制　蒼朮制　神麯炒　川芎　梔子炒等分

右末水丸如菉豆大每服五十九滚白湯下

開鬱湯

蒼朮米泔浸洗　蘇葉　陳皮去白　枳殼麩炒各八分

撫芎六分　甘草三分　厚朴姜汁拌炒　半夏麯各七分

香附制一錢　桔梗去芦五分

水鍾半姜三片煎八分食遠熱服

卸續

氣鬱者脇痛脉沉濇者是也濕鬱者週身走痛或関節痛遇陰寒則發脉多沉細也火熱鬱目瞀小便亦骨髓中熱肌膚熱悶之烙手沉数是也痰鬱動則喘脉沉滑是也血鬱四肢無力有便紅脉沉是也食鬱噯氣腹飽悪食不能食氣口脉甚是也諸鬱藥春加防風夏加苦参秋冬加吳茱萸蒼术撫芎總解諸鬱

開鬱順氣之藥不可少也

呃

止呃方屢驗

香附君　陳皮君去白　茯苓臣去皮　甘草使　枳實君

桔梗臣　黃連佐炒　紫蘇君　梔子君炒　半夏臣

水鍾半柿蒂九枚姜汁二匙煎八分食遠熱服

清痰降氣湯

治胃脘疼不止俗名心痛神効

陳皮君去白　藿香君　梔子君炒　甘草使　茯苓臣

厚朴佐　半夏臣湯　枳殼臣　蘇梗臣　香附臣

蒼朮（炒米泔浸） 撫芎使 桔梗佐

水一鍾半姜汗二匙煎八分食遠熱服

加減蘇子降氣湯

蘇子（炒半） 厚朴（制七分） 前胡（去芦七分） 甘草（三分） 當歸

肉桂（三分） 陳皮（去白炒） 半夏（麴炒） 香附米（童便浸一宿晒干六分）

水鍾半姜三片棗一枚煎八分食遠温服

木香檳榔丸 降氣寬胞

木香 黄栢（炒） 大黄（煨） 青皮（麸炒） 陳皮（去白）

檳榔 黄連（炒） 莪朮（煨） 枳殼（麸炒） 牽牛（頭末）

香附（制） 共為末以水為丸量虛實服之

膈噎

脉経云沉緩而無力或大弱為氣虛数而無力或濇小為血虛数而有力為熱寸関沉或伏或大而滑数是痰寸関脉沉而濇或尺微濇翻胃若緊濇者难治

治膈方

單用藍靛白湯化下数次効用藥之時必要入藍靛或青黛亦妙絳州一僧病噎不下食臨危囑徒吾胞中有何物當視之殁後徒知其言遂開視胞中得一物形如魚而兩頭遍体有鱗置器中跳躍不止戲以味皆随化尽時值夏中藍方作靛有一僧以靛置器

中蛊遂逶盤中走須臾化爲水上方本此出東坡海藏五行記

按膈噎病本難治列古方悉用香燥之劑不知香能散氣燥能耗血非徒無益適以害之然則方何貴於存乎曷謂丹溪補血益氣潤燥和胃等藥雖無成方而立論已至得心應手有不易之妙法在矣識者詳之

治膈噎方　此方昔大尹公三㱣得此疾一方士傳此服之果痊刊施天下

用白雄雞一隻東流水喂三日又用老米喂三日畢又用山中四足蚍三條與雞食盡以後又用倉

米食三日取雞拋下屎眯乾研為細末量人肥壯者一錢瘦幼者七分酒花椒湯下如腹有毒虫遇藥滿腹滾痛若服兩次其虫必死從大便而出蚘用山中野地取者但人家屋内者不用蚘俗名蛇絳頭

治梅核膈䐿

芽硝三錢　孩茶錢半為極細末姜汁調服

砯粉丸　治膈䐿

砯砂一錢　輕粉一錢　青黛二錢　木香少許　大黃量实用

右末煉蜜丸如梧子大每服二錢白湯送下

又方　治毒核喉中有痰

用四七湯加　枳實　枳殻炒　桔梗去芦

水鍾半　姜三片煎八分食遠熱服

治膈食方

天靈蓋燒存性再用牛腰子瓦焙乾俱為末等分

以米醋打糊丸如菉荳大每服二三十丸好酒

送下愈後忌醋如食又發

又秘方　治膈噎氣

水香三分　硇砂一分　威灵仙五分　黑鉛　水銀各三分

乳香一分半　硼砂一分　五灵脂五分　沒藥壹分五分

天靈蓋即人腦頂燒五分

将鉛化開入水銀炒乾共前藥為末煉蜜丸如菉荳大每服三十九燒酒送下

五膈十噎方

男用母驢尿女用草驢尿一碗将独蒜一个搗爛以醋調服早服一次午服一次晚服一次服時必須塞住患者鼻孔恐悪心

又方　治膈噎有痰凝結不拘新久

驢尿不拘多少熬成膏子每服一匙蜜二匙姜汁一匙和匀急服良久或吐或泄痰片或帶痰血安卸續

氣虛者右脉必緩而無力血虛者左脉必數而無力痰者寸関沉滑而大者是也氣滯結者寸関脉沉而濇是也胃中有火不能停食脉必數而有力也欝傷脾胃而生痰痰與氣轉升而不降飲食不下氣冒於咽嗌者也稿於上則噎水飲可行食物难入或可少食名之曰噎其稿在下而與胃相近食雖可入难進入胃良久則出名之曰膈又名反胃名雖不同病出血耗所致者大便如羊糞者大腸無血故也不治年高者不治氣血俱虛則口中多出沫沫大出者必死

翻胃

脉經云沉滑者吐逆小弱而濇者胃反又云寸緊赤濇者其人胸滿不能食而吐止為下之故不能食設言未止者此為胃反故尺微濇者是也

翻胃大約有四○血虚○氣虚○有熱○有痰為病必用童便韭汁竹瀝牛羊乳汁姜汁如氣虚入四君子湯右手脉無力血虚入四物湯左手脉無力切不可用香燥之藥若服之必死宜薄滋味

治反胃用黄連三錢生姜汁浸炒山查肉二錢保和丸二錢同為末糊丸如蔴子大胭脂為衣用人參湯竹瀝再煎一沸一服六十丸有痰二陳湯為主寸關

脈沉或伏而大如有氣結宜開滯導氣之藥寸關沉
而濇也有內虛陰火上炎而反胃者作陰火治之
年少者四物湯清胃脘血燥不閏便故濇格治餘論
甚詳老年不能正治亦用參术關防氣虛胃虛四君
子加芦根童便或參苓白术散或韭汁牛羊乳或入
驢尿又有積血停於內而致者當消息逐之大便濇
者治常食兎肉則便利也翻胃即膈噎膈噎乃翻胃
之漸年高者不治

論曰膈噎翻胃之症因火成來有漸病源不一有因
思慮过度而動脾火者有因忿怒而動肝火者有因

久食煎炒而生胃火者有因淫慾妄作而起腎火者皆火氣炎上薰蒸精液成痰初則痰火未結咽膈乾燥飲食不得流利為膈為噎久則痰火已結胃脘不開飲食雖進停滯膈間須臾便出謂之嘔吐至於胃之下脘不開飲食雖進停滯胃中良久方出名翻胃丹溪曰年高者不治盖少年氣血未虛用藥劫去痰火病不復生老年氣血已虛不能運化而生痰血虛則不能滋潤而生火故也又云其局方尤用香燥之藥豈合宜乎夫症屬熱燥故不宜用香燥之藥盖香燥散氣耗血而滋味助火生痰也

余嘗用霞天膏加於補虛藥中以治此症一人則吐瀉以出積血一人則吐瀉以去積痰俱獲病安及思食而彼人俱不能節戒肥甘遂致病復殊不知此症挾虛雖然病去脾胃尚弱肥甘難化故其噎塞得是症者可不知所謹哉可不知所懼哉若以斯膏吐瀉宜周人參煉膏補之

槿花散　治翻胃

艾干葉　韭菜汁　白槿花晒乾為末

右用老米湯調服三五口不轉再服

霞天膏備見襍方

余先君憨仙翁用此倒倉治丁縣丞之痰積吐隨瀉吐出綠痰如蚍狀其病即安抜去病根活八十餘歲是其驗矣

嘈雜

丹溪曰痰因火動介鬱有熱　大法芩連梔子南星半夏陳皮熱加青黛梔子生姜炒黃連乃必用之藥有人用二陳湯加抚芎蒼朮白朮梔子濕痰氣滯惡心三補丸加蒼朮倍加香附眩運嘈雜乃火動其痰二陳加梔子芩連昔一人心嘈索食以白朮黃連陳皮作丸滚白湯下數服愈

嘈雜是痰因火動，治痰爲先，姜汁黄連痰藥用梔子黄芩爲君，南星、半夏、陳皮爲佐。熱多加青黛。若治痰氣鬱不喜食，三補丸加蒼术、木香、香附。按蔣氏子絛云：眩運嘈襍，是火動其痰，二陳湯加梔子、黄芩之類。

八寶安胃湯 治鐀襍有火有痰之症

梔子炒一錢 黄連炒七分 條芩炒一錢 半夏一錢湯泡 陳皮八分去白 甘草三分 香附八分制 川芎七分

水鍾半，姜三片，煎八分，食遠熱服。

越鞠二陳湯 治肥人鐀襍多痰

陳皮八分去白 甘草三分 茯苓七分去皮 半夏一錢湯泡 桔梗五分

香附七分制 撫芎六分 蒼术八分米泔浸 白术八分 南星制一錢

梔子炒一錢 黃連炒八分

水鍾半姜三片煎八分食遠熱服

清胃化痰丸

石膏二錢 甘草二分 桔梗五分去芦 梔子炒一錢 香附制七分

黃連姜炒八分 枳實炒八分 陳皮去白八分 半夏麹一錢

水鍾半煎八分食遠熱服

積塊

脉經云脉來細而伏者積也脉見寸口積在胞中微出寸口積在喉中關上積在臍傍上關下積在心下

微下関積在少腹尺積在氣衝脉右積在右脉左積在左脉兩出横在中央各以其部分之也

論曰積者五脏所生聚者六腑所成也積者血凝也其始發有常處其痛不離其部上下有所終始左右有所窮変聚陽氣也其始發無根本上下無所留止其痛無常處謂之聚故以是别知積聚也

原病式曰癥者腹中堅硬按之應手水体柔順而下及堅硬如地者亢則害承乃制也瘕者中雖硬而聚散無其常故其病未及癥也経曰血不流而滞血聚内凝而為瘕也小腸移熱於大腸乃為虙瘕大腸移

熱於小腸為兩熱相搏則血溢而為伏瘕血澁不利月事沉滯而行故云為瘕虙與伏同

大七氣湯

治積聚伏於癥瘕隨氣上下發作有時心腹疼痛上氣窒塞小腹脹滿

益智 陳皮去白 三稜醋拌炒 莪术各酒洗 香附各錢半

桔梗去芦 肉桂 甘草 青皮去穰 藿香葉各三分

右㕮咀每服九錢用水煎服

阿魏丸 治病積氣塊等症屢驗

阿魏二錢麪裹 山查肉一兩 青皮一兩 莪术五錢醋炒 鱉甲一兩醋炙末

右除魏另磨水俱研細末神麯糊丸如梧子大
每服五六十丸空心滾白湯下

治痞方

消痞為血水雖屡用末為血水其大小不為恙
用猪溢皮七个新針七个每一針刺一脾濫為度
用皮硝七錢每一錢搽一脾磁器盛七日鉄器焙
乾又用水紅花七錢将脾為末無灰酒空心調下
一年以下者一料可愈五年以下者二料十年以
下者三料即安

神力独蒜餅　治痞疾如神

用蓍葉独蒜川山甲同好醋研成餅量人大小痞貼之兩炷香為度其痞化膿血從大便出

卸續

五脏為積六腑為聚積在本位聚无定處在左血凝在右氣滞有痰成塊在中痰血氣三者所结也

五脏之積其名心為伏梁肺積息賁肝積肥氣脾積氣痞腎積奔豚各在所部分經之治積塊之症阿魏之藥主之多効予見一方士以覇藥下一尹价腹中数鱉且活此事实可異也故記之以廣其傳焉

醫門秘旨卷之七終

醫門秘旨卷之八

諸頭疼

脉法　頭疼陽弦浮風緊寒風热脉数湿細而堅氣
虛頭痛雖弦必濇痰厥則滑腎厥兼实云寸口脉中
短者曰頭痛

丹溪曰頭痛多主於痰痛甚者火多有可吐可下者

清空膏　治諸頭痛惟血虛頭痛難治

血虛頭痛自魚尾上攻頭痛用川芎當歸湯古方
有追涎藥及偏正頭痛年深不愈者風湿熱頭上
壅及腦痛並皆治之

川芎五分　柴胡七分　黄連炒　防風去芦
羗活各乙刄　甘草炙刄半　細挺黄芩三刄去皮酒制刄半
為末每服二錢於盞内入茶少許湯調如膏抹在口内少用白湯送下臨卧如若頭痛每服加細辛二分如痰厥頭痛脉緩減羗活防風川芎甘草加半夏一兩五錢如偏正頭疼服之不愈去羗活防風川芎一半柴胡一倍如發熱惡寒而渴此乃阳明頭痛只宜白虎湯加吳茱萸白芷　白虎湯方見暑門

川芎茶調散

治諸風上攻頭目昏運疼痛鼻塞声重

荆芥　川芎　白芷各二两　薄荷四两

羌活　甘草各一两　細辛五钱　防風二钱半

右為末每服三錢食後茶清送下

選奇方　治眉骨痛不可忍大有奇効

羌活　防風　甘草夏生冬炙　半夏姜制七次各二钱

酒芩一钱冬月不用有热用之

右㕮咀每服五錢水一鍾煎六分食後熱服内入

酒三五匙引藥上行

清上芎芷飲　治六經頭疼昔范友一龍頭疼將

疙如比二三年諸藥不効服此而安

川芎臣　白芷臣　知母臣去毛皮　黄栢臣炒　柴胡佐

桔梗佐去芦　薄荷臣　甘草使　梔子君炒　連翹君

生地臣酒洗　石膏二匙　條芩炒君　細茶一撮　香附米使

水一鍾半煎八分食後用小盃作五六次熱服

啣續

氣虛頭痛者耳鳴九竅不利也濕熱頭痛者頭重如石屬濕也風寒頭痛者身重惡寒寒邪從外入宜汗之也偏頭疼者手少阳阳明経受症左半边屬火屬風屬血虛右半边屬痰屬熱也真頭疼者腦尽而疼

手足冷至節者不治也少陽頭痛者往来寒熱也陽明頭痛者自汗發熱悪寒也太阳頭痛者有痰重或腹痛為之痰癖也少阴経頭痛者三阴三阳経不流行而足寒氣逆為寒也厥阴頭痛者或痰多厥冷也血虚頭痛者夜作苦者是也○眉輪骨痛〻〻痰火之徵也又云風熱與痰也有肝虚羞明眉眶痛者亦痰火之徵也

眼目

東垣曰能近視不能遠視陽氣之不足陰氣之有餘廼氣虚而血盛〻〻乃阴火有餘虚者氣弱也此老

人桑榆之相也能遠視不能近視陽気有餘陰氣不足血虛氣盛血虛氣盛火有餘元氣不足火也元氣發氣真氣之賊也元氣来者則氣和細細如綿邪氣来也緊而強如川之水不可過也

四宝膏　治暴風有瞖膜熱壅者

蕤仁二分去細心膜　白硼沙三分　片腦三分　硃砂二分

共為末用蜜調成膏點眼効

蕤仁散　專治瞖瘴紗不可言

燀蕤仁一兩用紙包筆管碾去油加白硼砂一分麝香三分同搗極細收入磁器貯之听用

洗肝散

治風毒攻上暴作赤目腫痛癮澁多淚

大黄煨　薄荷　當歸酒洗　羌活各二刄

防風二刄去芦　川芎　甘草各一刄

為末每服三錢食遠熱水調服

爛眩風眼方

銅録末不拘多少粗碗將天茄子取汁一二捥先將汁少許入碗用録末一順擂一二時澄清畢去浮水又添茄汁如前擂五七次為𬒔後半乾覆碗以艾火燻金黄色括丸如黄豆大每用一丸入酒

五味子君 銅青臣 胆凡 軽粉各少許

先將七味煎之待熟入軽粉一滚乘熱洗効

眼藥方 治眼翳膧攀睛神効

芦甘石五分 硼砂 琥珀 血竭各一分

光明砂五分 射香 明凡 枯凡 銅青各三分

椎胆 珎珠腐制 硃砂 皮硝 乳香

胆凡 軽粉炒褐色各五分 為末紙篩過点眼

桑葉湯 專洗光人眼目昏花神効

立冬之日收採桑葉懸起自乾洗時忌葷腥物謹守清淨斎戒不忌者此方不効 洗眼日期開后

正月初五日　二月初一日　三月初五日

四月初八日　五月初五日　六月初七日

七月初七日　八月初八日　九月三丁日月小廿九

十月初十日　十一月初十日　十二月初一日

四物龍胆湯　治目赤暴發作雲翳痛

川芎　當歸洗無灰酒　芍藥　地黃各二分半

羌活　防風去芦各一分半　龍胆　防巳各一分

分二服煎痛甚加生地當歸如大便閉加大黃

煩躁不得眠加山梔熱痛赤腫小柴胡湯加大

黃生黑豆當歸不泄加朴硝

流氣飲　治肝経不足内受風熱上攻眼目昏花視物不明當風多淚怕日羞明推眵赤腫癮澁難開或生翳障倒睫眼眩赤爛及婦人血風皆行暴赤眼暴胞紫黑應作病眼并皆治之

大黄炮　川芎　菊花　牛蒡子炒

細辛洗去土　防風去芦　山梔炒　白蒺藜

黄芩炒　甘草炒　玄參去芦　蔓荆子

荆芥　木賊　蒼术各一両　草决明一両半

為末每服二錢臨卧用冷酒調下

五胆羊肝丸　治内障

用牛羊猪兔青魚胆各一枚羊肝一具搗爛入

川芎　川椒炒八分　當歸酒洗　木賊童便浸三宿各錢半

楮實　黃連炒　蟬退去翅足　草决明各五錢

薄荷五分　菊花　荆芥　密蒙花各三分

蛇退一条　白蒺藜炒　蔓荆子炒黃各錢　天花粉二分

地骨皮一錢　夜明沙淘三錢

為末煉蜜丸如梧子大每服五六十丸食後滚

白湯下

還睛丸　治眼生瘴膜怕日羞明

川芎　白术　羌活　白蒺藜炒

防風去芦 生地忌鉄 當歸各酒洗 木賊去節

天麻羊角 青箱子 蜜蒙花 兎糸子各一刃酒洗

熟地洗三刃酒 蟬退五糸去翅足 車前子 菊花各一刃

為末煉蜜丸如梧子大每服七十丸空心淡塩

湯或食後白湯下

三花五子丸

治上旋風熱風毒上攻肝虛頭痛時見飛蝇或

翳瘴并効

密蒙花 旋覆花 甘菊花 石决明

草决明 枸杞子 牛蒡子 地膚子

兎系子酒浸蒸過等分　甘草少許

為末煉蜜丸如梧子大每服三十丸麥門湯下

紫金膏　點一切諸患眼疾神効

人参八分半　赤芍三糸　黄芩二糸九分　大黄四糸半

黄連炒一刄八糸　黄栢二糸七分　牙皂一糸二分　珎珠五分

荆芥三糸三分　血竭五分二厘　硃砂四分三厘　没藥七分

國丹飛过六糸　射香分半　甘石一刄一糸　硇砂五分厘

冰片分半　輕粉三分半另研　乳香七分　雄黄五分二厘

胆凡五分三厘　硼砂乙糸　熊胆三分　青塩石一分三

用水三椀将人参等藥入砂鍋内却將丹及細

藥篩过方下煎至半乾次入輕粉及濾过蜜七錢滾二三次待冷入熊胆片腦時收起入磁礶内埋在土中七日放陰処任用忌鉄器

冬青膏　治一切眼疾

黄連炒　當歸酒洗　甘草　黄芩炒

防風去芦　黄栢炒　薄荷冬四刃　草烏

川烏各一分　雪水二斤　冬青葉二千皮米醋一斤

浸七日熬如金色様点眼去川草烏尤効

眼膏方

雲南石氏眼科章　貧道雲遊遇此方

羊膽芦甘稱四兩　童兒小便淬松黄
三兩撫冊鍋内煉　水飛七次莫心慌
更加乳香并没藥　硼硇石胆白丁香
射粉血砂皮焰是　烏鈴片脑與雄黄
金石藥分十八味　一錢一味細推詳
防風去芦　黄連炒　當歸酒洗　蕤仁
菊花　黄栢炒　柯子各四万
荆芥　薄荷各半斤
水半桶浸一七或十日放鍋熬至一半濾去渣
再熬至一二椀放銅鍋内入好蜜一斤化開濾

過濾藥水同熬如稀糖樣却下黄丹甘石再熬後下餘藥慢火畧熬離火待温方下片腦磁磧盛竹筒蠟封口埋土中如用取出点雲翳諸眼疾神効

菊花散　治眼目赤腫痛难開麻豆後或温熱加尨李

黄芩炒　大黄煨　菊花　甘草

防風去芦　當歸各等分

為末每用三四匙食後茶清調下

膏子藥　治内瘴神効

龍胆草　蟬退去足趐　夏枯草　青箱子
草决明　木賊　蔓荊子　蒺藜各四刄
谷精草　珎珠制　亱明沙　羚羊角鎊
蛤粉各二刄　生地三斤　石决明六刄　塩水煑
右珎珠用水洗净紙包温外用黄泥固煅紅冷
定取出為末用時每膏半酒糂入珠末二三分
攙匀服前粗藥煎水二遍去渣不用将水放鍋
内文武火煎成膏入蜜半斤入礶埋地下三日
出火毒服一二七有効
羚羊角不煎与珎珠同入膏服

洗眼方

胆凡二分　銅青三分　射香二左　水粉少許

用水一鍾煎半鍾温洗一日三次

耳病

一節然曰耳鳴症或鳴甚如蟬声或左或右或昔閉塞世人多作腎虚治之不効殊不知痰火上升欝於耳中而為鳴欝甚則壅閉着愈此疾但審其平昔飲酒厚味上焦素有痰火只作清痰降火治之大抵此症多因先有痰火在上又或惱怒而得怒氣上升少阳之火客於耳也若是腎虚而鳴者亦是膀光目穴

上升故也其鳴不甚其人必多慾勞怯之症耳

開竅飲　治腎耳重聽等疾

甘草三分　麥門冬去心一錢　木通去皮八分　升麻五分

前胡去芦八分　赤茯苓七分　桑白六分　甘菊八分

生地忌鐵一錢　蔓荊子七分

水鍾半姜三片棗一枚煎八分食後温服

卸續

氣閉者少陽厥陰耳不鳴是熱與氣滯也腎虛耳閉者間或有之或老年或相火動者[illegible]足水不能勝真火難治

鼻病

王鄭丞曰鼻塞不聞香臭或但遇寒多塞畧或多寒便不時舉發者世俗皆以肺而用解表通竅辛温之藥不效殊不知此是肺經素有火邪火鬱甚則善得熱而見寒故遇寒便塞遇感則發也法當清肺降火為主而佐以通氣之藥若如常鼻塞不聞香臭者再審其平素只作肺熱治之清金瀉火消痰或丸藥不化或末藥乾調緩服無効此予所親見而治驗其平素原無鼻塞舊症一時感寒風而致窒塞声重流清涕自作風寒治也

飛霞方　治貴人鼻中肉贅用白礬末如硇砂少少許吹其上頃刻花水而消與清肺湯瀉白散服愈此厚味壅湿熱蒸於肺門如雨霽之地突生芝菌也丹溪曰酒渣鼻是血熱入肺治用四物加陳皮又曰桑白皮紅花酒炒黄芩煎将好酒数滴調五灵脂末同服格至論中於上藥有茯苓生姜氣弱者加黄芪○兌君憨仙翁見一人面如橘皮者如此肺中必有虫也五脏之虫上行惟肺虫下行最難當用獺爪為末調藥於初四六日治之每月此二日肺虫上行也

辛夷散　治肺為四氣所干鼻内壅塞涕流不已

或氣息不通不聞香臭鼻淵之症

川芎　甘草　藁本　升麻　細辛　防風去芦

白芷　木通去皮節　辛夷花各等分

為末每服三錢清茶調下　○鄙續

面臭皆黑酒毒之病乃血熱入肺經之症若鼻塞不利乃肺主皮毛寒邪傷肺宜汗散之若鼻生息肉膏梁過多肺氣壅盛之故也若鼻淵胆移熱於腦故鼻流清涕如水是也用辛夷散有効若臭不聞香臭肺經有痰滯於竅中宜清肺化痰也暫時者乃風寒所鬱不在此論耳

卷之八終

醫門秘旨目録

卷之九

口症

牙齒

崩漏

催生

醫門秘旨卷之九

○口疰

既济丹　治口舌生瘡

黄連五分　乾姜二分　為末搽上流涎即愈

龍石散　治大人小兒上膈壅毒口舌生瘡咽嗌腫塞之病每用少許掺貼患處嚥津小兒瘡疹毒氣上攻口齒先用五福化毒丹掃後仍用此藥掺貼立効

硃砂乙分　生腦子二分半　寒水石煅通赤三分二分半

為末每服一錢臨臥掺貼

地蚕方　即螬草虫　蠐螬虫

治大人小兒口瘡用諸藥不効搽此而安

用糞土内地蚕一條切去一頭將筋番轉裡面先將口嗽淨以地蚕摻患處涎出為度少頃又取番轉又搽不過三五次即愈茅屋者効

石緑散　治走馬口疳神効

銅緑　滑石飛過　杏仁去皮尖各等分　枯凡少許

為末先將口漱淨患処摻上待涎出吐三次即愈不許吞入腹内恐毒氣入内耳

口瘡方

人中白煅过乙分 銅録三分 枯凡少許

為末先将患処洗浄搽極効

一粒丹 治風虫客寒三般牙不能飲食呻吟無已者

葫椒九粒 菉豆十二粒

用布裹擊碎以系綿色裹於痛牙上咬定良久吐去涎沫立愈

紅氊散 治口瘫神効

紅褐燒灰二分 雞肫皮二分不下水者 地骨皮 枯凡各二分

為末搽之吐涎愈

二黄膏 治走馬瘫瘡

用黄栢一塊去皮蜜炙數次听用黄連或二兩或四兩熬成膏將芦甘石二兩如法煅佀松花色入連膏待乾用後如瘡悪用流水淬過半熟入口噙數次吐出將製黄栢五分又入製過芦甘石一分射香三厘入二次待吹入前藥入片腦一厘枯凡或胆凡一二分吹上極効

兒茶散　治走馬疳瘡

孩兒茶　硼砂各一分　片腦一分　芦甘石五分

為末每用五七分搽上即安

連凡散

黃連君　枯凡　銅録　乾姜俱炒

為末先用象牙梳裝盐燒過入滾水洗口後用

末藥搽上有效

如神散　治口喉俱生瘡熱

甘草　枯凡各等分

為末吹入口中噙漱吐再吹有否之亦可

牙齒

余見今之凡病齒者或曰胃火而不知齒屬阳明経

合手足而言之也泵大腸傳送氣化行爲壅則齒

浮虛則宣露夾風則上攻頭面乾悪則变齲脱是独

可輕乎哉況胃脉行乎上齒中而大腸之脉行於下齒逢中且善惡寒熱其性則反又有大相反者通而治之獨名於胃為何哉

搜風湯　治風牙疼痛

蒼耳根　金銀花　小麥　花椒　荆芥穗各等分

共一處煎水漱口即愈

牙藥方　漱口止痛湯

艾葉五分　川椒四分　黑豆一撮　葱白二根

煎水漱之立時即止

固齒白玉膏

專治牙齒動搖疼痛不止肉不固齒及出血牙宣疳臭髭鬚鬢髮赤白眼目不明此膏每夜臨卧皆淡茶漱口净上下貼一条至一月後齒動再牢髭鬚鬢髮重黑永無疳疾老少皆可貼終身無動搖之患矣

防風去芦 當歸酒洗 牙皂去弦 青塩洗去泥煅

芎藭各三錢 升麻去須 白芷 地骨皮去骨各一兩

細辛洗 藁本各三錢 白姜蠶四十九条焼

将前藥葉柴火燒存性用長流水燒滾淋汁半碗听用 白龍骨煅一兩 陽起石五錢 炭火煅七

次入前藥汁內共用桑柴火焙乾藥汁同二味研為細末方入定粉一兩白珎珠末二錢象牙末五錢射香三分再同研為末用黃蠟三兩五錢入磁礶化開入前末藥攪勻放冷取出鋪無灰紙上用熨斗熨之刷勻剪作條兒長三四寸濶二三分以有藥面每貼在上下二牙根睡之妙

清胃湯　治牙斷腫痛

牡丹皮　條芩炒　梔子炒各一錢　升麻去須七分
桔梗五分　石膏二錢　甘草二分

水鍾半煎八分食遠徐徐熱服

擦牙散　治牙疼極驗

槐枝多用　白芷五分　防風五分去芦　川芎三分

先将此四味煎水十数沸去渣後好塩三五斤

桑柴燒火煎乾磁器盛之每日清晨擦牙温水

嗡漱風虫牙皆可治之

治牙疼四症

畏冷水廼熱症宜用牙硝姜黄雄黄荆芥并風藥

怕熱者乃冷症宜用乾姜蓽撥細辛

不惧冷熱者風牙也宜用牙皂姜蚕蜂房草烏

有孔者蛀虫牙也宜用雄黄石灰砂糖

凡用藥必須溫水漱之再審寒熱虛實方可用

血餘散　治風牙蟲牙神効

枯凡　槐子　花椒　牙皂　頭髮灰　各等分為末

每擦牙痛処流去清涎然後用水漱凈不可吞

又方　治風蟲牙痛

信飛　細辛　草烏　川烏各乙分為末

每用二三厘燒酒調漱後用川椒湯觧如有蟲則隨酒内出

愈痛方　胡椒　花椒　牙皂各七分　為末

用米泔漱口將藥擦上閉口一時取痰涎出佳

馬牙酒　忌鐵器

白馬牙燒紅淬好燒酒七次以酒漱齒数次効

神水方

防風去芦　蜂房　細辛　甘草　花椒　丁香各等分

煎水漱口常常漱之自安矣

固齒湯　治風牙

藁本　槐花各乙分　升麻　防風去芦　白芷各八分

甘草　川芎各三分　細辛　獨活各七分　當歸五

水鍾半姜三片煎八分食後熱服

神仙散　治牙根腫爛臭水立愈

芥菜杵不拘多少燒灰存性為末敷之即愈

治口瘡方

諸藥不效者及小兒滿口生白胎瘡

苦參末一錢 硼砂少煅過八分 玄明粉一錢

用好京墨磨薄荷自然汁調和鴨毛刷在口瘡上

一夜即愈神効

又方治口瘡

用江南竹刮青一塊蜂蜜一盞入竹青在內放飯甑

中蒸過去竹青用蜜汁調兒茶末一錢 片腦一厘

烏鬚擦牙方

槐角半斤 青塩四两 化水浸槐角一餘日入砂鍋内煮待焙乾取起加生熟地各二两 白芷破故紙各一乙两為末每日早晨擦牙嚥下妙

鄙續

火熱牙疼虚腫上屬阳明胃経下屬手阳明大腸経虫牙者其病在齒或一个兩个作痛者是也風牙者或連腮腫痛或遇風寒尤痛者是也當以散風之藥治之○齒雖骨之余脉乃二阳明経所過之地也不可執之於腎但老年齒落乃腎虚血虚之病也雖拘於治法耳

喉

喉十八症

十八咽喉君要道　雙鵞乳鵞生喉竅

牙涎風毒牙根腫　重舌之風舌必腫

魚口風如魚吸氷　舌黄舌腫色黄濃

牙根作痛咬牙禁　木舌腫如豬舌同

積毒塞喉風熱疪　纏喉風熱繞喉攻

連珠五七相連起　更有蛩蜞蠱毒風

搶十口中多蒺疱　崩砂茸口齒根崩

毒名蜂子腮洋爛　松子風令滿口紅

走注瘰癧或氣閉　連腮連齒獨煩風

喉病者一脉君火心主之脉氣也一脉相火三焦之脉氣也二脉格外喉然氣熱於內結甚則腫脹甚則痹也纏喉風屬痰熱　喉瘡屬火熱脉虛火上冲亦令喉內生瘡難治

愈咽方　治咽喉神効

升麻二两半　防風去芦　桔梗去芦　連翹去心
羌活　黄芩各二两　大黄煨　荆芥去梗
朴硝　甘草　紫蘇　川芎各五钱
水鍾半姜三片灯心十根煎八分食後熱服

又方　犀角湯

玄參　升麻　桔梗去芦　犀角鎊

木通去皮　甘草　黄芩炒　黄連炒

枳殻　薄荷　陳皮　大黄煨　各等分

水引同前

芩連飲　治咽喉腫痛

黄芩炒　黄連炒　玄參去芦　前胡

防風　柴胡各去芦　桔梗　竹青

山藥各一兩　半夏湯泡　陳皮去白　大黄煨

甘草　朴硝　薄荷各五分　荆芥七分

同前水引煎服

咽喉吹藥方

訶子炒　胆几　明礬枯各三分　砂砂

盆硝各五分　薄荷　甘草各乙分　牛膀子二分为末

每用五分吹入喉内先擦舌上後用清茶下

甘桔湯　專治咽喉

甘草　桔梗去芦　薄荷　防風各等分

水鍾半煎八分十遠服

氷雪散　專治咽喉痰甚壅塞

灯心灰存性二分　硼砂二分　片脑少許去为末

每服少許吹入喉中有涎吐出為妙

治咽喉詩方　典第一葉三分參用

細辛不拘多少　巴豆只用半边

不問咽喉急閉　莫管乳鵞双单

將来新旧塞鼻　腫毒當時消安

此藥妙物價非蕉　万两黄金何筭

鵞丸散　連鵞蜍一个燒存性入枯凡一分為末

吹毒処痰出取効

雞子膏　治喉閉热腫疼痛

輕粉　鉛粉　百草霜　用皂角搥碎將雞子

清調敷腫処神效　余用雞子清搽敷有效諸毒可用

吹藥方　治喉腫痛

片腦六分　胆凡　血竭　輕粉各九分

為末以瓷器收貯用時少取吹在患處先用皂角煎湯次下石灰滾四五沸待温漱口吐出涎沫方可吹前末藥

竹參湯　治咽喉疼痛立效

玄參　木通去皮　大黃生用　竹葉葉　灯心等分

水鍾半煎八分食後服

朴連散　治纏喉風閉塞

用臘月初一日大小不等猪胆五六個

姜蚕炒　薄荷　朴硝　黄連炒　青黛　白凡各五錢

裝在胆内上縛定外用青紙包了将地掘一孔

方一尺上用竹竿横吊此胆懸定在内後立春

日取出春風吹去胆皮青紙研為末蜜收吹入

喉神効

一字散　治喉疼痛不止

片腦一字　姜蚕炒半分　硼砂二分半　明凡二分　牙皂七分半

為末每用一字吹喉即安　一方加黄連末一錢

硼梅丸　治喉閉

用盐霜梅肉　硼砂各一两　搗為泥丸如圓眼噙化

如神雄硼散　治喉閉腫毒单双鵞

雄黄钱半　硼砂七分　硃砂　蟾酥各三分

胆丸二分　片腦　蜈蚣　射香各少許

為末入礶收之勿令泄氣每用半厘吹鼻

却風散　治咽喉生瘡腫痛纏喉風閉单双乳鵞

急喉痺木舌重舌之症

胆丸　片腦各二分半　姜蚕炒　苦丁香即田瓜蒂　灯草灰各五分

若病不退加雄黄　牙皂　焰硝　芦甘各三分

為末每用少許吹入喉中如痰急解用生艾尾葉米醋同擂取汁噙漱去痰立愈

又方用臘月猪胆以白凡入內風中吹乾研末吹愈

硼砂丸　治口臭口舌生瘡

寒水石十兩　白硼砂　片腦二錢　射香二錢　皂角四錢

甘草二兩　浸汁熬膏用　和成丸藥可堪誇

為末甘草汁丸如麻子大噙化

肶胵散　治喉閉乳蛾

用雞肶胵用黃不犯水晾乾為末以竹筒灌吹患處即安

治喉痺神効方

山豆根一两 熊胆一钱 硼砂五钱 胡黄連五钱

姜蚕五钱炒 片脑三分 射香三分 黄芩一两炒

黄栢一两

右為細末吹入喉内神効

又方

用鴨嘴胆礬硬為細末醋調灌下即安

愈痛湯　治咽喉腫痛不可忍

杷子炒君 片芩炒君 玄参君去芦 連翹君去仁 桔梗君

防風臣去芦 荆芥臣去根 薄荷臣去根 黄連炒臣 石膏二匙

甘草 位

右㕮咀水鍾半煎八分食後小杯作五六次热服

六辨散

治喉痺水米不進

白礬 三錢末又火化汁入巴豆 三个作六塊銚上熬枯去豆仁研末如牙関緊急不去張口吹藥仍令病者用鼻孔下進亦愈

三因玉鑰匙 治風热喉痺及纒喉風

焰硝 一兩半 朋砂 半兩 片腦 一字 白姜蚕 一字

右為末以竹管吹半字許入鼻中立愈

又加雄黄二錢名金鑰匙

每用五分吹入喉中即愈

乳鵞方　治急喉風乳鵞閉塞

用新牛膝根一撮艾葉七皮搗碎入乳和勻取汁令病人仰卧将汁灌入鼻内湏臾痰涎即從口鼻出而愈

余凡遇喉中腫痛单用川牛膝根研爛取汁和凉水服之有効土牛膝亦可

青龍胆散　治咽喉閉塞腫痛并双单鵞神効

用好鴨嘴胆礬末盛于青魚胆内陰乾為末吹入喉中極効　一方加川椒七粒

奪命散　治急喉風

五倍子燒存性　密陀僧各三分　片腦五分爲末

每吹入喉中即安

○肩背痛

脉経云洪而大脉促上緊者肩背痛沉而滑者痰痛

豁痰湯　治肩背痰痛

陳皮八分　甘草二分　茯苓六分　海桐皮八分

半夏一分　枳殻八分　桔梗七分　赤芍藥七分

香附七分　蒼朮七分　姜黄五分　梔子炒一分

川芎五分　條芩炒一分

水鍾半姜三片煎八分食遠熱服如痛甚加

朴硝二钱頭剤

肩背痛　有因風熱乘肺手大腸経肺気鬱甚不行病則頬頷腫頸肩臑肘臂外後臁痛汗出小便数而欠者皆風熱乘肺也小便遺失者皆肺經虚也

通氣散　治風熱乘肺背肩疼

防風　藁本　獨滑　羌活已上通経血

黄芩　黄連二味降火各等分

右為末每服肆钱神効

通氣防風湯　治肩背痛汗小便數而欠風熱乘肺

肺氣鬱熱宜瀉風熱

檳榔　甘遂　芍藥　威灵仙

澤泄　葶藶各二兩　乳香　沒藥各一兩

大戟炒三兩　陳皮四兩　牽牛頭末一兩

右末米糊為丸每服六七十丸湯下

當歸拈痛湯　治濕熱諸痛肩背沉重胸膈不利足脛痛腫

羌活　甘草　黃芩炒　茵陳各一　人參去芦

升麻　苦參去芦　乾葛　防風去芦　蒼朮各三分

知母　茯苓　澤泄　猪苓各五分　白朮一分半

當歸身酒浸洗五分　水二鍾煎一鍾隨病上下溫服

胃脘痛 附心病

脉法 右手實者痰疾積也大是久病緊實不大便者下之痛甚者脉必伏陽微陰弦脉短而数者心病若細而遲沉者可治堅大而實浮大而長滑而利数而緊皆難治

丹溪云 心痛即胃脘○有热厥寒厥大實死血食積痰虫 按机要云热厥心痛身热足寒甚則煩燥而吐額自汗出脉实可汗利太溪昆崙寒厥心痛手足厥逆身冷汗便弱清利不渴氣脉微热弱者可温术附阳厥心疼者寒邪客心包也良薑菖蒲辛热者至之大实心疼卒然発痛大便或閉久而佗悶心腹高起按之則痛不能飲食可服煮雄丸虫痛者痛則心腹発則腫聚往来上下行痛有休作腹热無常処出面色乍青乍白乍赤吧吐清氷痰積者臉

然得辛熱湯暫上戴氏曰死血痛者痛有常処不動積者是若痛甚欲大便去後痛減者食積也李者須當審痰飲於疑似之間辨熱於隱微之際使一毫而万全起不美哉

積痰痛方

滑石　蒼朮米泔浸　山梔炒　香附子童便浸各一兩

南星湯泡　枳殼　青皮去穰各　木香

砂仁各五錢　半夏湯炮五錢　螺螄殼用墻上年久者研碎炒一兩

春加川芎夏加黃連秋冬加茱萸各五錢　姜汁浸炊餅為丸如菉豆大每用五六十丸姜湯送下

萬灵散　專治虫痛如神

梹榔末三錢於十六日待虫頭向上米湯下立効

木香散　治心氣痛并虫疾

木香　莪术去毛醋浸炒　甘漆炒烟尽各等分

右為末醋湯調下一禾即安

天王補心丹

寧心保神益血助精壯力強志令人不忘除怔

忡定驚悸清三焦化痰涎祛煩熱療咽乾育養

心神

五味子　栢子仁　天門冬　麥門各去心

酸棗仁去殼炒各一刃　生地黄四刃　當歸身酒洗滬用一刃

黄連炒二刃　人参　玄参各　丹参

桔梗　遠志去心　白茯苓去皮各五錢

為末煉蜜丸如梧子大硃砂為衣每服二三十丸臨卧時灯心竹葉湯送下

安胆湯　治心胆驚怯健忘

半夏湯泡　竹茹　枳實　茯苓各一錢

陳皮錢半　遠志七分　甘草二分　石菖蒲五分

水鍾半姜三片煎八分食遠服

養心丹　勤政劳心疼多少睡心神不足

黄連炒六分　白茯去皮八分　茯神去心八分　麥門冬去心一錢

當歸酒洗八分　芍藥七分　甘草三分　栢子仁一錢

遠志六分 陳皮七分 人參去芦八分 酸棗仁炒一錢

水鍾半 蓮肉四錢去心 煎八分食前服

白龍丸 治急心痛

陳倉麥麵二斤 寒水石末二斤 滴水為丸如弹子大 雲母石為衣 陰乾 每服二丸 用炭火燒紅入燒酒内 研細服之即止

硃砂安神丸 治心神恍惚

黄連炒一錢半 硃砂飛一錢 生地酒洗 當歸身各酒洗七分 甘草五分 共為末 米糊丸如菉豆大 每服三十丸 食遠白湯送下

部續

真心痛手足青至節者不治胃脘痛亦在心之分故借名心痛日久不食亦無害也虫動痛者必面上白斑唇紅痛後便能食時作時止是也因怒而飲食卒痛便閉悶心胞高起手不可按者实痛也可行痛可按者虚痛也不可下傷寒有動氣不可下此也

諸疼痛

脉経云沉弦細動皆是痛症心痛在寸腹痛在関下部在尺脉象顯然

九節斋曰凡治心腹痛但是新病須問曾服何飲食

因何傷感有無積滯便與和中消導之藥或日數已多曾多服辛温燥熱之藥嘔吐不納胞滿口舌乾燥大小便濇則内有鬱熱矣或原有旧病因感而發綿延日久見症於前者俱用開鬱行氣降火潤燥之藥川芎香附山梔子黄連姜汁之類甚者再加朴硝心腹久痛須于温藥内加苦寒之藥温治其標寒治其本也

手拈散　方見温門

治心脾氣痛諸痛俱治

腰痛

脉経云脉細小弦急為湿滑為痰脉弦緊或實式伏者可下若細小遅者生堅大而疾浮大而死痛而喘滑而利数而緊者难治臍下或大痛不治若細小急中腹痛脉弦則腹痛弦急小腹痛尺緊臍下痛尺伏小腹痛癥瘕尺实小腹痛小水当利心腹痛、不得息細小遅者生疾者死腹痛脉大長者亦死

御續

食痛脉弦右関大甚欲大便去後則痛減是也痰痛者痰因氣滞脉滑痛則小便不利是也熱痛者時痛持止者是也寒痛者綿、而痛是也死血痛者痛本

常處而不移夜間甚者是也虛痛手可按實痛手不可按是也臍下忽大痛人中黑者必死

脇痛

脉經云大者腎虛濇為瘀血緩為濕或伏為痰尺沉腰痛右尺浮沉而弦沉為滯弦為虛沉弦而緊為寒沉弦而浮為風沉弦細而濇為濕弦而濇閃納

抑青丸　治肝氣痛

黄連姜汁拌炒　為末米糊丸如粟米大每服四五十丸姜湯送下滚白湯亦可

加味推氣湯　治右脇疼痛脹滿不食

姜黃一分　枳殼一分　甘草三分　半夏七分

陳皮八分　桂少許

水鍾半姜三片煎八分食遠服

鄙續

右脇一条扛起作痛者食積也悠悠痛不止者虛痛也兩脇痛屬肝氣久則有死血為患也左脇痛肝有餘有氣滞也右脇痛乃脾氣痛當用理氣豁痰之藥須分左右用藥方効左脇有塊作痛者瘀血也右關脉沉濇主右脇痛屬脾經氣滞病也右脇痛有塊乃氣滞痰之病也

腰痛

脉經云尺浮沉腰背痛若腰痛時時失精飲食減少

其脉沉滑而遲可治

姜膠膏

用生姜自然汁四两水膠一兩同煎成膏用厚紙攤貼腰眼及治諸痛并脚氣痛神効

茴香散　治腰痛

杜仲一兩炒去系　破故紙五錢　小茴香四錢　木香乙錢

為末每服二錢好酒調下

煨腎酒　治男婦小兒腰痛

犍猪腰子三個内去筋膜杜仲去粗皮哣炒斷系為末川椒去目炒燥為度各等分火燒塩三分和匀放二錢入腰子内紙包慢火燒熟空心酒送下

卸續

腎虛者血虛而痛之不已或悠悠痛多在腎腧者真腎虛也瘀血痛者日輕夜重者是也濕痛者或遇天陰久坐而發者是也濕痰流注者脉滑或伏者是也腎虛者腰重如帶五千錢身腰冷如氷飲食如常小便自利宜流濕化痰之藥治之腰乃腎之府腰痛則腎虛憊矣

痿症門

痿症論　五痿之症古方特立篇名所論甚詳後代槩多缺略考其所由皆因混入中風條内故也痿症不可作風治之肺痿者專主養肺氣養血與治金亦有食積死血妨碍不得下降者陳無擇謂痿因内藏不足所致誠得之矣然痿之所不足者乃陰血之不足也而医方多用補血驅風之劑豈免實實虚虚之故耳可當慎哉

補陰丸

黄柏半斤塩炒　知母酒炒　熟地各三兩　白芍煨

陳皮　牛膝各二两　瑣陽　當歸各兩半

虎骨酥炙一两　敗龜板酥炙四兩　加川芎一兩　蒼木一两

右為末酒煮羊肉為丸如梧桐子大每六七十丸白湯送下

五痺湯　治諸風寒濕痺手足緩弱頑麻不仁

羌活　姜黄　白术　防巳各等分

甘草減半

用水二鍾姜三片煎服

清燥湯方見脚氣門

脚氣門

脉法　浮為風濡細為溫洪数為热遲濇為寒微滑為虚牢堅為實浮為表沉為裏沉弦為風沉緊為寒沉細為溫沉数為热結曰氣散因憂緊因怒細曰悲左廿尺大尺小尺無共左尺絶者皆不治

冊溪論　有溫热有食積流注有風溫寒溫　按三因云自汗走注為風勝無汗挛急掣痛為寒勝腫滿重著為溫勝煩渴熱勝為暑勝四氣兼中者但推其多者為勝又須分表裏以施治也盖古無脚氣之說内之明厥二漢間名緩風宋齐之後謂之脚氣名虽不同其実一也初得不覺因他病乃作始發或奄然大悶至三二日方覺先從脚起或緩弱疼痹或行起忽倒或日脛腫脉或足膝枯細或心中忪悸或小腹不仁或举体轉筋或見食吐逆悪聞食氣或胸滿氣急或遍体疼此其候之不同也初覺即灸所覺處二三十壯随愈此乃下妖无窮之良法也

脚氣說　脚氣從温從下煩提起温在下之藥隨氣血用

南北論　南方之人自外而感北方之疾自内而致蓋南方之人當風取凉醉房久坐温地或履風温毒氣血氣虛弱邪氣併行膚腠邪氣盛正氣少故血氣澁﹅則痺虛則弱病發熱四肢痠疼煩悶者因暑月冷温得之四肢結轉筋者寒月冷温得之北方之疾因潼酪醇酒之温熱下注積久而成腫滿疼痛也治宜下藥泄越其邪

東垣說　温淫所勝治以苦温以苦辛散之透關節

勝濕為佐以苦寒泄之流濕清熱為臣宜當歸拈痛湯服之立愈

不治症　入心則恍惚謬妄嘔吐食不入眠不安脉左尺大尺小尺無者不治大汁屬心〻絕故也入腎則腰脚痛小便不通呻吟目額黑冲胸而喘左尺絕者不治空心屬腎〻絕故也

防巳飲

黃柏炒　蒼术米泔浸　白术　防巳

生地酒洗　檳榔　川芎　犀角炒

甘草　木通去皮　黃連炒去須

如熱加黄芩時令熱加石膏痰加竹瀝姜汁南星大便閉加桃仁小便澁加牛膝 用水一鍾半煎捌分空心服

清燥湯 治濕熱成痿以燥金受濕之邪是絶寒水生化之源絶則腎虧痿厥之病大作腰以下痿軟癱瘓難行

黄芪蜜炙 蒼朮米泔浸 白朮 陳皮

澤瀉 人參去芦 升麻 五味子

神麯炒 猪苓 黄柏酒炒 白茯苓去皮

川連 柴胡 甘草 當歸身酒洗各等分

用水一鍾半姜一片煎八分服

強筋丸　治兩足痿弱軟痛或如火焙從腂下上冲腿胯等症因濕熱所成者

蒼术四兩　黄栢炒四兩　牛膝二兩　敗龜板酥炙一兩　防己一兩　歸尾二兩　虎脛骨酥炙一兩　一方加附子炙

為末糊丸如梧子大每服七十丸空心姜湯下

椒囊方　治脚氣奇効

用川椒二斤盛於踈囊中寘大踏上跣足踏椒囊上盖椒性热辟去寒濕甚有理一人用之月余効

真奇也此椒囊添入檳榔木熱艾三味九効

行氣湯　治風溼脚氣

熟地黃忌鐵　黃芪蜜　杜仲炒　牛膝去芦

五味子　白朮　陳皮　當歸酒洗

五加皮　斷續　草薢　人參去芦

柴胡去芦　升麻去芦各等分　甘草少許

水鍾半姜三片煎八分空心服

四制二妙丸　滋陰降火開胃進飲食及除迴身之

溼股体痿弱并皆治之

黃栢四斤成片一斤酥炙一十三次一斤人乳浸一十三次一斤至便浸一十三次一斤米泔

浸一十三次無油蒼朮一斤四刄川椒炒四刄破故紙炒四刄五味子炒四刄川芎炒去炒藥四味用蒼朮同黃栢為煉蜜為丸如梧桐子大每服三十丸早酒下午茶下晚白湯下黃栢得一五斤刮去皮淨四斤蒼朮得斤半粗米泔浸過去皮淨一斤

除温飲　治風寒暑温足常履之所致

木瓜　檳榔　白芷各半刄　半夏曲

厚朴　蒼朮各二刄　藿香　陳皮

白朮　茯苓各一刄　甘草六分

右咀用水鍾半姜三片棗二枚不俱時服

遠行健步散

防風　細辛　草烏

右為末掺鞋底或草鞋底內遠行脚不疼痛神効

治温氣湯　羌活

紫蘇　黄栢炒　芍藥煨　木瓜

澤瀉　木通去皮　防巳　檳榔

蒼朮炒　枳殼去穣　甘草　香附童便浸　各等分

痛加木香腫加大腹皮熱加黄連大黄水煎服

脚氣冲心　四物湯加炒黄栢又以附子末津調貼

湧泉穴外用艾灸以引其熱也

鄙續

湿氣者腫痛或脛強夾湿熱者走痛湿積流注於下則為脚氣脚氣之症有四浮弦起於風濡弱起於濕洪滑起於痰弦濇起於火血遲沉起於寒温初起者類傷寒惟脚有患者異耳婦人病此者多因血海虚而得之男子得此多目腎水虚耳男女固有分罰用藥則無異也大率以温熱之藥為主譙以補腎補血之劑方得取効

疝症

脉經云寸口弦緊為寒疝弦則胃気不行氣不行則心寒緊則不飲食

寸口遲緩遲為寒緩為氣〻寒而搏搏緩而痛〻沉緊豁大為虛弦緊搏皆疝視在何部而分之其藏心脉微滑為心疝肝脉滑為㿗疝腎脉滑之癃㿗大急沉為腎疝肝脉大急沉為肝疝心脉搏急為心疝肺脉沉搏為肺疝脾脉緊為脾疝寸弦而緊〻弦緊〻相搏為寒疝趺陽虛遲為

寒疝

丹溪曰疝氣睾丸連小腹而痛也有痛在睾丸者有痛五樞穴邊者皆足厥陰之經也或無形無声或有形如瓜有声如蛙自素問而下皆以為寒蓋寒收引經絡得寒則引而不行所以作痛然亦有踼冰淑収經

身不病此者無熱在内故也大抵此病始於温熱在經過而至久得寒氣外束不得疎散所以作痛若只作寒論恐為未備或曰厥陰經温熱何由而致余曰大劳則火起於筋醉飽則火起於胃房劳則火起於腎大怒則火起於肝積之巳久子能令母虚温氣便盛濁洹凝聚併入血絡流於厥陰厥陰屬肝為將軍之官其性急速火性又暴為寒所束冝其痛之太暴也當以烏頭梔子作湯服之其效亦敏後因此方隨形症加減無不驗但熱又分多少而治温則腫多癩病是也其痛亦輕但重墜牽引耳

守効丸　治癩之要藥不痛而鎮墜

蒼术一兩　南星八錢　半夏八錢　白芷五錢

川芎五錢　枳實五錢　山查三錢

為末糊丸如菉豆每服五六十丸空心下

秘方　治諸疝

枳実五錢　梔子炒一兩　茱萸五錢　橘子一兩

山查五錢　桃仁五錢　青皮一兩　荔核八錢

桂枝三錢　有瘀血加川烏二錢　水煎服

止痛附子湯　治疝氣作痛

蒼术　香附俱塩炒　黄栢炒各為君　青皮

益智 桃仁 玄胡索已上為臣 茴香炒

附子鹽炒 甘草已上為使

為末作湯服後一痛過更不再矣

平肝愈痛方 治疝氣疼痛不止

柴胡君 黄芩炒臣 青皮君 小茴香炒君

甘草使 梔子炒君 香附臣 玄胡索臣

山查臣 黄栢炒佐 柑核臣 枝核臣 川楝肉佐

水鍾半煎八分空心服後丸藥除根

丸藥方

生地 熟地忌鐵 當歸各酒洗 白芍煨 知母忌鐵 五味子

黄栢炒 香附制 山查 玄胡索各半分

為末米糊丸如梧子大每服三四十丸空心茴

香湯下

玉鐶笑来散 治小腸疝氣其効如神

荔核四十九粒 陳皮連白九分 硫黄四分共為末

用塩水煮糊丸如菉豆大遇痛時空心酒服九

丸良久再服不過三服見効痛則仍服之又能

治心氣痛

鄗續

寒疝者寒冷結硬如石陰莖不舉或控睾丸而痛者

是也水腎者腎囊腫痛陰汗時出囊或腫如水晶或痒而瘙出黄水或小腹按之作水声者是也筋疝者陰腎莖腫脹或膿或痛裡筋縮或莖中痛外痒或挺從不收或白物如水晶出者是也血疝者其狀如黄瓜在小腹而傍横骨兩端約中俗云便癰也氣疝者上連背脽下及陰囊或因號哭忿怒氣鬱而脹以針出氣而愈也狐疝者其狀如卯卧則入腹行出囊中狐則晝出穴而溺夜則入穴而溺此症如狐相類也㿗疝者陰囊腫縋如升如斗不痒不痛得之地氣卑濕故江淮人多有之也

醫門秘旨卷之十

婦人科

產前

脉經云男女之别以左右取左疾為男右疾為女沉實在左浮大在右右女左男可以預剖離經乙至沉細而滑陣痛連腰胎即時脫血瘕弦急而大者生虛小弱者即是死形半產漏下革脉主之弱即血耗立見傾危又曰左手沉實為男右手浮大爲女左右俱沉实生二男左右俱浮大生二女脉左偏大為女左右俱大產二女脉俱浮生二女若俱沉生二男大柢

以尺脉為主

論

経脉不行多有脾胃損傷而致者不可便認経閉血死輕用通経之藥有此症須審其脾胃少食惡食泄瀉疼痛或因誤服汗下致尅傷於中氣以致血而不行者只宜補養用白术為君茯苓芍藥為臣佐以黄芪陳皮麥芽甘草撫芎當歸柴胡等藥土甚則生血而経血自行矣又飲食積滞而損脾胃亦宜消積補脾若脾胃無病果有血塊凝結方以行血通経之剂

張子和云大凡婦人雖產者皆因燥濇緊斂故產户

不得開通宜先於降誕月自月之日用長流水調元散日進三服生必易産后亦無虛熱之症血不和之疾未入月不宜服以滑石滑胎故也

丹溪曰婦人経病有月候不調者有月候不通者然調不通之中有兼疼痛有兼發熱此分為四也然四者之中若細推之不調之中前者不及有過月者為虛不及者為熱也不通之中有血滯有血枯血滯宜破血血枯宜補血疼痛之中有常時作痛有経前経後作痛者則常時経前作痛為血積経後為血虛也發熱之中有常時發熱者則常時血虛有積経行有

血虛為熱也此謂而有八焉大抵経病内因憂思忿怒外因飲食停寒何則人之氣血週流忽因憂思忿怒所觸則欝結不行氣之経前産後忽遇飲冷形寒則悪露不尽此経後不調不通作痛發熱之所由也調氣而破血開其欝而補其虛凉其血而清其熱治之有道也欲抑甞知氣行血行氣止血止余故治血病以行氣為先香附之類是也

有驗方

治蕭秀才乃正行経未及二日有欝受寒腰并背痛将死一服即安故著之

桃仁君去皮尖　赤芍君　牛膝君去芦　歸尾君酒洗　紅花君
陳皮臣去白　青皮臣去穰　紫蘇臣　木通佐去皮　藿香佐
香附佐制　川芎佐　白术佐土炒　五灵佐　桔梗使
水鍾半煎八分入炒灵脂空心温服

益母飲

治王友乃正月内四肢拘挛語言蹇滞一服安
防風君去芦　荊芥君　益母草君　當歸身尾君酒洗
薄荷皮　陳皮臣去白　半夏君湯泡　赤芍藥臣
茯苓佐去皮　白芷佐　香附佐制　枳殻佐去穰麸炒
甘草使　川芎使　童便一盃

水鍾半姜三片煎八分入童便热服

女聖丸　治女子婦人諸症屡効

香附米一斤分作四製

一分塩水姜汁浸透煮熟晷炒　主降火清痰滅下部血

一分水醋浸透煮熟晷炒　主歛氣補血

一分童便浸七日洗过不烘隔乾　主降陰大退虛煩

一分山梔仁四刃同炒去梔仁不用　主鬱火清肺热

右為末各重四刃浄拌句酒糊丸如梧子大每服六七十丸隨症換引下

古云女中之聖藥以其氣香則竄無滯氣也味苦

則降無邪火也其性勇毅談暢可爲婦女鬱結多
怒偏本草只言益母世俗都言耗氣男子不敢服
経水過期酒下　血滯紅花煎湯下
頭運薄荷湯下　胎前諸病艾湯下
産後諸病當歸川芎各一錢煎湯送下
脃滿脹姜湯送下或荆芥加姜汁亦可
白帶小茴香或木香煎湯送下此症非冷乃自
庚辛金來主忿怒氣所致也其餘病
症與男子同隨意用引不能者只用
滚白湯送下

豆酒湯　治婦人女子反張

大豆五升　清酒一斗　將豆為末用鍋猛火炒豆煙

以酒椮之去渣熱服

崩漏

論

婦人赤白帶下之症多是怒氣傷肝夫肝屬木脾屬土肝邪乘脾木氣尅土則脾受傷而有溫濕而生熱熱則流通所以滑濁之物滲入膀胱從小便而出古人作溫寒而以辛溫之藥治之者非也而丹溪作溫熱而用苦寒之藥治之者是也雖古人曾用辛溫之

劑而愈殊不知用苦寒之藥是正治之法也用辛温之藥是從治之法也蓋温熱拂鬱於内肚腹疼痛赤白带下非辛温之藥從治而能開燥乎然温熱未曾怫鬱但止赤白带下而無腹痛之症不若用苦寒之藥并治之為當也

丹溪辯　带下　赤属血　白属氣　主治燥温為先漏與带俱是胃中痰積流下滲入膀胱無人知此只宜升提甚者上必用吐以提起氣下用二陳湯加蒼术白术仍用兎龙子文曰赤白带下皆属血出於大腸小腸之分肥人温痰海石半夏南星黄栢川芎

蒼朮椿皮一方無椿皮用青黛瘦人白帶少如有者是熱用黄栢滑石川芎海石椿皮若無海石蛤粉亦可又一方青黛作丸子服

赤白帶下炒黄荆子為末酒調下二錢米湯亦可又治心痛罗先生法或十枣湯或神祐丸或玉烛散皆可服实者可行虚者不可峻攻若血虚者加四物湯氣虚者參朮陳皮間與之濕盛者用潤腸光相火動於諸藥中少加黄栢滑加龍骨石脂帶下者加葵花花白者治白帶　花赤者治赤帶性燥者加黄連若痰氣滯下蒼朮香附滑石蛤粉半夏茯苓為末丸服寒月少加乾姜臨

槪應便服藥必須断厚味

香附丸　屢驗

治女人怒氣傷肝諸症及經不調之疾

香附半斤四两童便制四两米醋制谷浸一宿晒乾為末忌鉄器　貝母去心一两

半夏五钱或一两泡七次　枳實去穰麸炒乙两　条芩炒两半

甘草去粗皮五钱　枳殼去穰麸炒乙两　白术土炒两半

平肝調經加　柴胡去芦二两净　黄連炒六钱

青皮去穰二两　各為末老米糊丸如梧子大每服

五六十丸食後滾白湯下如飲食少進麥芽煎

湯送下

蚕沙散　治月信不通

用蚕沙不拘多少擂水服即通

通經丸　治婦女經事不通臍腹疼痛或成血瘕

莪术炮　歸尾酒洗　青皮　桃仁去皮尖　乾漆炒去烟

乾姜炮　桂心等分　大黄　川烏　川椒炒出汗各一半

右為末將一半用醋熬成膏和餘末一半盛石

臼中杵為丸如梧子大每服五十丸醋湯或酒

空心送下

煨骨散　治白帶屢効

用猪腰子一對切開去筋膜分為兩片内用竹刀

碎劄開一副入天麻三分麻扎住於尾銚内香油煎熟空心用無灰酒下

當歸活血湯

治経血氣滯过期

白茯去皮　赤芍　天門去　麥門　各二錢去心

香附醋浸　歸尾无灰酒洗　生地酒洗　熟地　各乙錢酒洗

蒲黃炒　川芎　白芷各五分

水鍾半煎八分空心服

活血通經飲

治經水不通年久身体發熱將成乾血癆之疾

桃仁去皮尖　柴胡去芦　黃芩炒　赤芍　三稜

莪术醋炒　玄胡各二錢　厚朴姜製　牛膝去芦　歸尾酒浸

香附制　蘇木各乙錢　牡皮錢半　紅花五分

同前煎服

當歸飲　專治経水不通

歸尾酒洗　玄胡　牛膝去芦　赤芍　桃仁去皮火

紅花　蘇木各一錢　甘草　桔梗各二分　澤瀉三分

生地无灰酒洗　川芎　條芩炒各五分　香附制　白术

柴胡去芦　乾漆炒尽烟各七分　三棱煨　莪术煨　蒲黄生

五灵各八分　牡丹　陳皮各六分

同前煎服

愈崩散　治血山崩又治心胃痛

用羊糞燒灰存性每服三錢空心滚白湯調下

通滯飲　治婦人經水不通

蘇木　紅花　桃仁去皮尖　赤芍　牛膝各乙錢

三稜醋炒　莪术各七分　玄胡　大黄各八分

水鍾半煎八分空心服

活血平肝湯　治赤白帶下及血山崩

當歸酒洗　條芩炒各一錢　川芎少許　地榆炒一大撮

白芍煨　黄連炒　香附制各八分　柴胡去芦　青皮各七分

生地洗錢半酒　同前煎服

川芎湯　治血少氣滯經閉不行

當歸酒洗　牛膝各乙錢　熟地酒洗　香附制各八分　青皮

陳皮去白　蘇木　紅花　川芎各七分　甘草二分

白茯皮六分去皮　白术五分　同前煎服

歸髮散　治血山崩

用婦人油頭髮　千年石灰　歸身各錢半酒洗

右為末用無灰酒調服

杜仲湯　治血山崩漏之疾

烏梅去核三月五錢半生半熟　杜仲制过去毛

用酒水各一鍾煎湯露一宿溫服

定風膏　治赤白帶下

定風草為末猪腰子一對用竹刀晝開掺上藥末香油煎熟好酒服下如不知定風草以天麻代之

愈紅散　治血崩

用棉花子不拘多少燒存性每服三錢空心無灰酒送下二三服即安

又方　用木耳焙焦為末每服三錢空心白酒調下二三服即安桑樹上耳尤効

催生

催生丹　療産婦生産不順産育甚難或逆或大

十二月兔脑去膜碾如泥 通明乳香研碎 母丁香各乙分 麝香二分半 各末拌匀入兔脑髓和丸如芡實大陰乾油紙密封臨產服一丸溫水送下男左女右手中握藥出神驗

佛手散 催生神驗

治婦人五七月孕因事築磕着胎或子死腹中惡露下疼痛不已口禁欲絕用此藥探之若不損則痛止子母俱安胎損便隨下

當歸酒洗六分 川芎四分 水鍾半煎令泣欲乾入酒一大盞止煎一沸去渣溫服口禁灌之如人行五

里再服不過二三服便生

催生方

鴿糞二把 皮硝一把 百草霜二把 童便一大鍾

用白酒二鍾煎至一鍾胎死用此方活者減半服即生

又方

白芷三分燒存性 滑石一分 百草霜千分

右為末童便調下

又方

用黄葵子一合炒擂細酒下

昔方产交竉胎死腹中余以此與服即下

催生灸法

急於產母右脚小指尖頭以艾灸如麥粒大三壯立產并胎衣不下者用此法屢效

順生湯

當歸酒洗一錢半 厚朴制五分 枳殼六分 甘草三分

蘇葉五分 貝母去心一錢 荆芥八分 川芎一錢三分

黄芪八分 羌活五分 芍藥一錢二分 兎絲子一錢四分酒先

右因女人難產甚有七八日生不下者而製此方以調飲食順生育又不催生又不安胎臨產之月二三服听其自然不拘横生倒產血運明脫無乳血塊疼痛等症并皆治之每服用水二

鍾薑三片煎八分食遠熱服

産後

産後三○發熱○惡寒○血運

脉經云黒氣起及衄者危發喘者不治

丹溪曰産後當大補氣血雖有他症以末治之沉弱者大浮大者逆又曰産後發熱惡寒皆是氣血虛甚左手脉不足多用補血藥右手脉不足多用補氣藥切不發表

如腹痛當去惡血若腹滿者非惡血也

紅棗湯　治産後咲不止即血燥上冲

用小紅棗不拘多寡甘草煎湯任意服

止運方　治產後血虛角弓反張

用荆芥穗瓦焙乾碾細末或酒煎煎炒一丑汁下或童便亦可

逐污湯　治小產後胞疰血氣痛不止作嘔作渴

當歸酒洗　赤芍　藿香各乙尔　人參去蘆　玄胡各八分

熟地　生地各酒洗　枳殼各六分　川芎七分　甘草二分

麥門四分　加桂少許　水鍾半煎八分食遠溫服

澤蘭散　治產後咳嗽

用澤蘭為末每服二三錢酒調下效

當歸破血湯

赤芍　白术土炒　蘇　紅花　桃仁[illegible]各七

川芎　陳皮　香附童便制　牛膝各八分　乾姜炮

肉桂　枳殼炒各五分　歸尾分半無灰酒洗

水鍾半煎八分空心熱服加無灰酒一杯為引

益母丸

用益母草不拘多少即茺蔚子其葉類火麻对節而生方梗凹面四五六月有節節間開花紫色處処有之此草生二種白花者不是於端午小暑或六月六日花正開時連根収採阴乾用時忌鉄器用石臼檮為末煉蜜為丸如彈子大每服一丸各

照後開湯引送下若量加全當歸赤芍尤玅其藥
不限丸数以病愈為度日服三五次如梧子大者
每服七十丸若熬膏尤佳治法於後

煮熬膏法

益母草不拘多少依前法採洗净入石臼内搗爛
濾取汁入砂鍋内文武火熬成膏如黑沙糖色為
度入磁礶内收貯每服用一匙妙

胎前臍腹刺痛胎動不安下血不止者水煎秦
艽米湯送下或當歸湯亦可

胎前産後臍腹刺痛作声或寒熱往來狀如瘧

疾者溫米湯送下

臨產并產後各先用一丸童便酒下安魂定魄氣血自然調順諸病不生又能破血痛養脉息調經絡功效如神

産後胎衣不下落在胞中及產前一切產難橫生死胎經日不下脹滿腹中心悶疼痛者炒塩湯送下即順

産後中風牙關緊急半身不遂失音不語者童便無灰酒各半調下

産後氣喘咳嗽胸膈不利惡心口吐酸水面浮

腫兩脇疼舉動失力者温酒送下

產後兩太陽穴痛呵欠心忪氣短肌体羸瘦不思飯食血風身熱手足頑麻百節疼痛者温米湯送下

產後眼前黑暗血運血熱口渴煩悶如見鬼神狂言不省人事者薄荷自然湯下如無生汁濃煎乾薄荷湯及童便酒各半送下

產後面垢顏赤五心煩熱或結成血塊腹臍奔痛時發寒熱有冷汗者童便酒各半送下温薄荷湯亦可

産後餘血惡露不尽結滯腰臍刺痛惡物上冲

心胸滿悶者童便温酒各半送下

産後未經滿月血氣不通咳嗽不止四肢無力

臨臥自汗月水不調久而不治則為骨蒸之

病者童便好酒各半送下

産後大小便不通煩躁口苦薄荷自然汁下如

無鮮者乾薄荷煎湯亦可

㜻嬭痛或成癰為末水調塗乳上一宿自愈或

生搗爛敷上亦可

血山崩漏者糯米湯送下

産後鼻衂口乾舌黑者童便酒各半送下

産後痢米湯下或木香湯亦可

産後瀉血者水煎紅棗湯送下

産後赤白帶下者阿膠煎湯下

婦人久無子息者每服温酒下一丸服至一月

决有効驗

産功雖多有胎者不宜多用尤恐動胎余故書

之於此後學當照古方斟酌用之勿泥可也

治脱癩方自製屢驗

黄芪蜜炙　白术　白芍煨　生地各一錢

人參去芦　陳皮　條芩炒　青皮各七分去

川芎　升麻各六分　香附八分　當歸一分酒洗

柴胡去芦　黃栢各七分炒

水鍾半煎八分空心熱服四劑見効

通神散

馬鳴肝即晚蚕沙半斤　香附子半斤　先將香附入砂鍋內炒令青煙起將温手巾蓋覆又炒取一箇大者折斷輕壓中存一星方入馬鳴肝同炒存性為度以紙鋪於地下傾藥於紙上以磁盆蓋一時去火毒為細末聽用炒時春夏存烟留秋冬尽烟熘是候

如婦人小腹疼加炒過蒲黄三錢黄隔紙二層炒為末入前藥内每服一匙隨症用引下

常服用生地黄四两取汁生姜四两取汁合酒調服神妙不可尽述

産後潮热悪露不下童便調服血氣痛暈悶絶尾湯下血氣冲心艾醋湯下

潮热煩讝語悪露不散不省人事生地湯加童便下　五心煩热灯心蘇葉煎湯下　悪心不止藿香生姜湯下　小便疼痛不通滑石、木个煎湯下

醫門秘旨卷之十終

醫門秘旨目録

卷之十二　外科

癰疽

辯　　和氣飲　　潰堅錠子

生肌散　　搜風散　　膏藥方

木香膏　　金銀湯　　又方

洗藥方

医門秘旨卷之

小兒科

形氣論

夫人之有生也禀天地之陰陽假父母之精血交感凝結以為胞胎也乾道成男坤道成女始自襁褓以至髫髦迨其成童與夫壯年豈易然哉故一月之孕有白露之稱二月之胎有桃花之譬及其三月則生右腎為男陰包陽也先生左腎為女陽包陰也其次腎生脾脾生肝肝生肺肺生心以准其勝己者腎屬水故五脏由是為陰其次心生小腸小腸生大腸大

腸生胆胆生胃胃生膀胱膀胱生三焦以生其已勝者小腸屬火六腑由是為队其次三焦生八脉八脉生十二經十二經生十五絡十五絡生一百八十系絡系絡生一百八十纏絡纏絡生三万四千孫絡孫絡生三百六十五大穴大穴生八万四千毛竅則耳目口鼻四肢百骸之身皆備矣所謂四月形相全五月筋骨成六月毛髮生正謂此也至七月則遊其魂而能動左手八月遊其魄而能動右手九月三轉身十月滿足母子分解其中有延月生者必生貴子不足日月生者必主貧薄之人誕生之後有变蒸之熱

長其精神壯其骨髓生其意智三十二日一变蒸生腎氣為六十四日二变蒸生膀胱之氣為腎與膀胱屬水其數一也九十六日三变蒸生心氣為一百二十八日四变蒸生小腸之氣為心與小腸屬火其數二也一百六十日五变蒸生肝氣為一百九十二日六变蒸生胆氣為肝與胆屬木其數三也二百二十四日七变蒸生肺氣為二百五十六日八变蒸生大腸之氣為肺與大腸屬金其數四也二百八十八日九变蒸生脾氣為三百二十日十变蒸生胃氣為脾與胃屬上其數五也变蒸已畢一其歲為齒生髮長

神智有異於前也故曰齒乃骨之餘也髮乃血之餘也爪乃筋之餘也神乃氣之餘也吁人身之难得也如此哉方其幼也尤如水面之泡草頭之霜氣血未定易寒易熱腸胃綿脆易飢易飽為母者調攝不得其宜必不能免乎吐瀉驚癇之病矣及其長也嗜慾既開不能修養是以六氣迭侵於其外七情交戰於其中百憂累其心万事勞其形一嵎之氣安能無病焉小兒之瘡疹大人之傷寒尤當慎歟

察色歌

紫熱紅傷寒青驚白色疳黑時因重惡黄色因脾端

又黑文多須氣不和色青驚積聚霍乱瀉如何青黑
慢驚發入掌内吊多三関忽通度此症必沉疴又曰
小兒脉大多風熱沉細原因乳食結弦長多是膈氣
風弦数驚風四肢掣浮洪胃中似火燒沉緊腹中痛
不歇虚濡有氣更兼風驚脉乱多痢大血前大後小
童脉順前小後六必氣噎四至疼来苦煩滿沉小腹
中痛切切滑主露湿冷所傷弦長客忤分明説五至
夜甚浮大冬六至昼甚浮夜别息数平和八九至此
是前人真妙訣

延生第一方

小兒初生之時臍帶脫落後取置新瓦上用炭四圍煨烟盡放上地上瓦盞蓋之存性研末須將辰砂透明者為極細末水飛过臍帶約有五分重砂二分五厘生地當歸身煎濃汁一二蜆殼調和前二味搽兒腭上間乳母乳頭上一日至脫藥下盡次日大便遺下穢污濁垢之物終身永无瘡疹及諸疾患生一子得一子極妙法也

青金散　治小兒急慢驚風吐瀉

礞石煨过　青黛各五分　辰砂二分

右為細末每服五七分凉茶送下

抱龍丸　治小兒風痰昏搐多驚屢驗

天竺黄　辰砂　雄黄各四分　香附三分　南星姜汁炒二分

右末煮甘草糊為丸如芡实大三歲一丸薄荷湯下南星為末用臘八日填入牛胆中陰乾百日後听用

神妙定命散　治臍風撮口唇青口出白沫

赤脚蜈蚣半条酒炙令干　川烏頭尖三个　麝香少許另研

右將射末二分和勻二藥每服半字金銀花薄荷湯下

地龍丸　治小兒急驚風

用蚯蚓一条石子街石頭一個將蚯蚓用竹刀切断二節動者用後將硃砂為末洒上搗爛以蜜調水服之

黄龍湯下　治小兒急慢驚風

用防風通聖散去滑石石膏芒硝加全蝎茯神遠志羚羊角白术水煎服

又方　硃砂　雄黄等分為末

用蚯蚓一条滚过前末刮下為丸听用

不二丸　治急慢驚風轉筋肚疼吐瀉熱麻

天仙子不拘多少洗净乾碾為細末蜜和一處搗

作餅每一個重五分金箔為衣臨用將棗一枚去核將藥放棗肉內用紙包水溼放在火內煨熟棗香取藥出碾末將棗泡湯調服一看小兒面上如吃酒者樣可治如白者不治

辰砂江子丸　治急驚風有驗

辰砂一兩　南星三分制　巴豆一个去油　共為末米糊丸如芥菜子大每服三五七九或十丸薄荷湯下

戢脾丸　能消食止吐瀉除痺消脹安肚疼常服益胃生肌健脾

人參去芦　白朮　茯苓去皮　山藥去皮　蓮肉各乙兩去心

甘草 山查去核 陳皮去白 澤瀉各五分去毛

右為末煉蜜為丸空心米湯送下四十九

辯論

余論小兒有五等之分百日之内名曰赤子一週二歲名曰嬰兒三四歲名曰孩兒五六歲至七八九歲名曰小兒十歲至十五歲名曰幼童若遇所傷名曰驚風疾也至十六歲出幼而無驚風或禀元氣不足尚有驚風之患其幼童小兒有疾可以診脉而用藥治之惟嬰兒赤子不能言語榮衛未均难以診脉名為啞科以男左女右第二指節紋三関赤脉為主一

曰寅関二曰卯関三曰辰関假如寅関起尺脉不過
於卯関者其病易治若連过於卯関者雖然难治病
重尚可如卯辰三関通过其病难治或三関侵过而
無疾者或三関無赤脉而驚風者何以別之但看面
上氣色方可知也面乃諸陽之首五脏形色現於面
也且直視覩物而不轉睛者面搀黄而洒淅悪熱乃
慢病之驚最悪症也宜速救之十全一二面帯紅色
兩顴骨赤精神恍惚發熱如火洒心之病也面搀白
眼珠光而無神大便府瀉洒淅寒熱乃肺之病也眼
鼻眶青睛憂ヒ不藥作寒作熱乃肝之病也面帯黎

黑精神倦怠要睡不睡時或咬牙身温煩躁乃腎之病也恭嬰兒者必須看覌眉心青黑者驚藏於内也上眼胞侵过白氣紋者二三月而亡泪堂青氣侵过鼻梁者一月死上下眼胞赤脉乱紋侵过鼻梁及兩顴骨者或黑氣如梨斑鼻过兩目者亡之必矣雖然如此亦有可救宜審視明白嬰兒忽大叫一声倒地殭直者或不省人事角弓反張者此即痰火甚夾其驚也是謂之急驚發搐縱有湯丸無以進之即用拿掐之法十可合於八九且夫人骨骼以实肌膚完密經絡備矣若或急驚以針補瀉之法開其關竅之血

滯也小兒骨格未成元氣虛弱肌体欠實所以用拿搖之法代之古云若要小兒安受些〻飢與寒乳母酒食厚味俱能令嬰兒之病當防患於未然苟務姑恤而成痼疾悔之晚矣良可痛哉

察色驗病法

青病在肝紅病在心白病在肺黑病在腎黃病在脾若青兼紅肝與心二脏之病面色青者痰也紅者熱也白者寒也黑者腎敗也黃者脾氣弱也哭者病在肺肝笑主心而多痰啼主肺而有風吐者主腎虧也

察色驗生死

面上紫色心氣絕五日亾面上赤目陷肝氣絕三日死面黄白肢節腫脾氣絕九日危面白并入竒輪肺氣絕三日鬢齒如熟黄豆骨氣絕一日死面如黑炭呻吟昬氣絕四日亾口張脣青毛枯脉絕五日死春紅防夏夏白防秋秋黑防冬冬青防春紅白難救青白可治火凡足趺腫大小便不禁目不轉睛此死症也面帶微黄病將愈乃生意也

五指稍頭冷氣驚不可當若逢中指熱必定是傷寒中指獨自冷麻痘疹相傳男左女右手分明子細看

要知兒病死與生察其顔色辨其音唇青耳黑應难

救若声不响赴俠君

声輕者氣弱也重濁者痛也風也高叫者熱將狂也

声急者神驚声塞者痰声戰寒声噎者氣不順喘者

氣促噴嚏者受風呵欠者倦怠俠俠相襍也又主風

耳聵者脉主瘕兩耳色青黑橫過髮際主臍下痛腎

端兩耳紫微赤主肝氣吹耳聾兩耳前後黃主驚入

腎黑色咬齒從毛速耳者死耳瘡者腎經熱鼻門黑

色旋毛者主小便不通鼻孔乾燥氣粗者主鼻血積

血鼻青者主傷乳印堂青主夜啼胎中受驚人中青

主食乳不亦化鼻準頭紅直上主熱發斑或夜啼鼻

燥者死者氣逆口臭者死鼻下赤或生瘡瘍癰熱症

推拿掌法圖

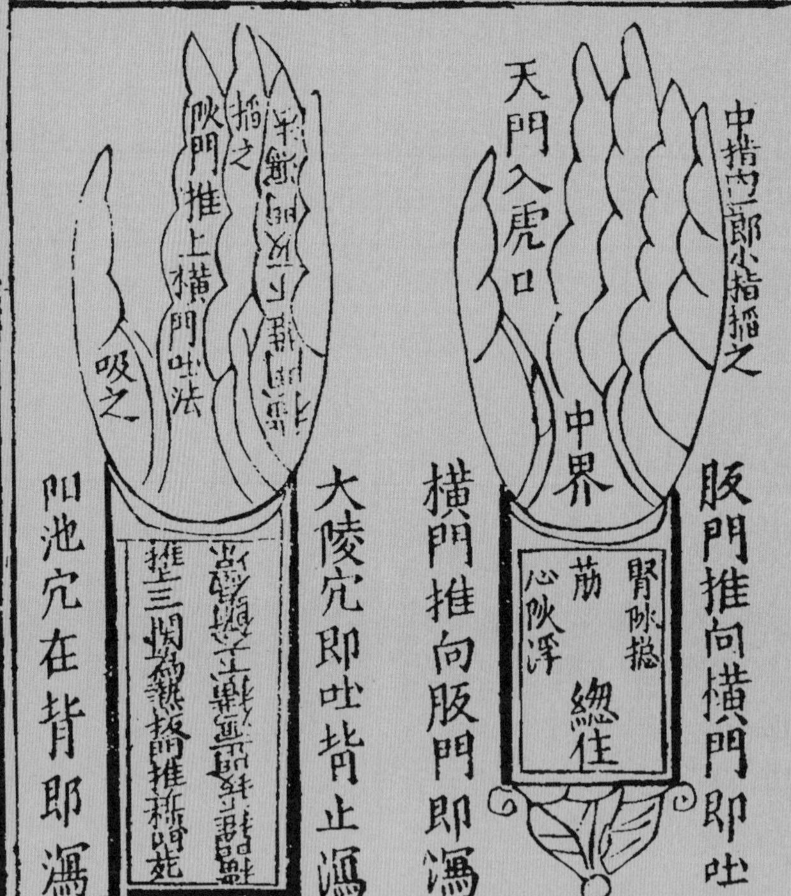

天門入虎口
中指內一節即小指搯搯之
中界
腎脉搖
筋
心脉浮
總住
版門推向橫門即吐
橫門推向版門即瀉
搯之
脉門推上橫門吐法
吸之
大陵穴即吐背止瀉
陽池穴在背即瀉

六筋治病法

以男左女右手分三陜三陜外呼内應五脏六腑却病拿掐之

第一筋赤色浮阳屬火以應心與小腸主霍乱外通赤龍反則燥熱却向手中界推之則阳火散也

第二筋青色乃阳屬木以應肝胆主温和通兩目熱乃赤溢生眵多淚却在坎位掐之目自明矣

第三總筋屬土五行以應脾胃主温煖外通四大肢門反而生腸鳴霍乱吐瀉痢疾之症却則中界掐之則肢舒暢也

第四赤淡黃筋居中分界屬土無倫以應三焦主半寒半熱外通四大扳門周流反側壅塞之症卸向中宮掐之下元氣通除其閉塞之患耳

第五白筋乃脉屬金以應肺與大腸外通鼻竅主微凉反側胞膈脹滿昏沉生痰氣郄在中界掐之妙

第六黑筋乃重濁屬水以應腎與膀胱外通兩耳主冷氣久而生尩尫羸昏迷却在边位掐之是也

用手掐小兒中指第一節名曰二龍戲珠外止吐内止瀉用口咬小兒大指頭第一節名曰天龍入虎口

用手撚小指頭名曰蒼龍擺尾

推上三關爲熱爲補除寒退下六腑爲凉爲泄除熱

即是曰大阪門

陽池穴在手大指側腕一陷中止瀉往下推之

腕骨穴在手指側下起高骨節中往下推之止瀉

大陵穴在内横紋陷中止吐瀉

夾白穴在手内股陷中治小兒急驚

手三里穴在曲池穴下三寸起光肉處治急慢驚風

已上拿掐之法左轉爲補右轉爲瀉各九阳六阴男

女皆同

治症脚法

委中穴在足膝後横紋陷中

承山穴在足股小肚尖揉之

僕參穴在脚後根治小兒急驚就死手脚掣跳之症

用口咬名曰猛虎吞食左轉為補右轉為瀉就揉之

湧泉穴在足掌中治小兒吐瀉慢驚揉之

大敦穴在足大指頭去爪甲一分小兒鷹爪驚揉之

解溪穴在足趺陷中小兒內吊驚往後仰指揉之

看病之法

先看是何經先將主病穴掐之次各掐通夏秋用青蒿生姜油粉春冬用葫荽葱油粉張熱遍身擦之五

七遍愈

中滕穴在三里下三寸大筋内中骨外臁小兒急驚於此掐之就揉凡掐要九九数左轉為補右轉為瀉女人反掐就揉

内関穴在掌後横紋上一寸五分治小腹疼痛一切

驚風

嬰兒月内無盆驚肚急青筋哭不渟掐下工夫按穴用晉教時刻得安寧玉堂乳根中脘洋鳩尾承関左右掐之灵或灯火爆之

落脐失顧受風驚面青口撮哭无声中脘一穴當先

掐關門左右掐方寧

先看牙齦上下或有白泡用温水浸糸綿包指頭重擦或破有血出用金頭蜈蚣燒存性為末擦之顖門夾車承漿中脘關門掐而擦之灯心爆之

小兒月内口禁驚原因胎裡受傷情水分下脘合一穴顖門四穴効如神口角反弓兒欲飲管教喜色滿門庭

夜亱兒啼不止声參外無計好憂心不知産内傷和氣却在門傍貼紙文肚上青觔頻火爆伏龍肝末搽之寧　以水粉桃皮為末擦太阳眉心用灯火伏

龍肝為末將香油調塗心口即安

小兒得患急風驚一驚就死怕杀人玉堂乳根鳩尾穴承関左右顖門仝

天龍入虎口猛虎吞食法治之内関中界各穴搯揉灯心爆之

痘疹科

論小兒瘡痘之由一名 百歲疮

小兒疮痘皆因毋胎孕之時不曾忌口或食煎煿或食毒物是以五脏六腑血氣皮肉筋骨一身之間俱有穢毒小兒在胞胎之中漸染此毒遇傷寒時氣而

發為水泡膿血之瘡名曰五臟渣毒所謂五臟者一曰五脏六腑二曰皮膜筋肉三曰血氣骨髓此瘡痘者三臟液毒之所成也

論小兒癍疹之由俗名痳子

小兒斑疹之症是肺胃之所發也肺脾二経自身蘊積邪毒或因時氣或因風寒客邪傳擊發於皮膚其狀斑駁如蚊蚤所咬或如麵片遍体有之凡發紅斑十生一死黑斑九死一生

論瘡毒所忌

小兒如未出痘疹發熱之時不分是痘否切忌行房

論瘡疽有輕重

瘡疽輕分作幾出大小不等頭面胞少肥滿光澤根窩紅活所謂大小不并二日三日始出如粟米如黍米如大豆此不必服藥瘡疽重毒一次斉出稠密如蚕種紫黒灰白口渴身温腹脹頭温足冷寒戰咬牙驚悸氣促

瘡疽五不治

一痒搨寒戰不治二紫黒喘渇不寧三灰白項陥腹脹四頭温足冷飲水五咬牙氣促寒戦

論小兒瘡疽之候

或曰瘡痘之出有因傷寒而得有因時氣傳染而得或竄眼驚扯之症或口苦咽乾肚腹疼痛或煩躁狂恣或自汗下痢或發熱不發熱臉赤唇紅頭疼身熱喘嗽痰涎噴嚏呵欠乍寒乍熱症候多端未易辨也須以耳冷骫足冷驗之又不若耳後紅脉赤縷為真又曰身熱尻骨鼻尖俱冷呵欠喘嗽面赤眼澁鼻鳴方是出痘之候以予言之竄眼驚搐口苦咽乾肚腹疼痛發熱頭疼煩躁狂恣昏睡喘嗽噴嚏呵欠唇臉俱紅尻骨鼻尖手足時冷鼻鳴氣急眼濇生眵庶可為候餘皆傷風傷寒等症泛而不切將信將疑若妄

投湯藥豈不誤耶余意頭額胸前最可驗之何也其瘡痘起自心主於胃而發於肺經曰諸瘡痛痒皆屬心火火炎上至頭額又胸前去心火不遠如是瘡痘必先於此二處紅点發出正所謂向陽花木易為春之驗歟

論瘡痘初起疑似未真不宜服藥

或曰小兒身熱是否瘡痘便宜發散以升麻葛根服之乎意若是疹痘二三日就見明白輕者不必服藥重者須要斟酌豈可不察是否便服發散之藥如葛根傷風傷寒則可若是痘瘡非所宜也

瘄痘有嗽痰煩躁

小兒瘄痘初出時看面前胸額踈稀者易治稠密者急宜解毒如紫草烏犀黃芩連翹鼠粘子之類或用古方黃連解毒湯亦可或犀角地黃湯但牡丹皮一味非瘄痘之藥宜去此服之仍以淡蜜水調滑石末以羽潤之濕者常去其濕用防風荆芥鼠粘之類也

瘄痘看顏色

豆灰白不發者作寒看紅凸齐綻者作熱看其要在解毒和氣活血溫中安表而已寒者溫之熱者減之減不可多蓋痘非熱則不能發也宜以溫和之劑扶

而佐之其灰白者亦作血氣不足看沃以人參白术當歸川芎紫草之類使其發出而紅活也色黑陷中陷而外起者是為血氣虚甚毒發不透須以紫草鼠粘子人參白术酒洗當歸蜜炙黄芪陳皮厚朴之類補氣益血調胃解毒黑陷甚者子和方燒人屎蜜水調服灰白陷伏者亦可如漿好而色淡者屬血少用紫草川烏當歸熟地香白芷之類如將好而色紫者屬血熱則用生地生犀黄芩黄連之類又有色全白將靨時如豆殼者乃因飲水食冷過多結靨不齊俗呼倒靨一名側靨須服實表之劑如黄芪川芎當歸

括蔞根白芷之類皆能長肉藥也蓋肉滿則靨自落不勞力也

瘡痘分虛实

痒者為虛痛者為实灰白者為表虛紅綻者為表实吐瀉少食者為裡虛不吐瀉能飲食者為裡实虛者益之实者損之損其有餘益其不足虛者再損其变莫療实者再益不是潰爛而难結痂則是結瘩而全眼疾務使損益得中為善矣

論痘不可汗下

痘發於表如妄汗之重令開泄榮衛一氣風邪乘間

他症作矣不可汗下也瘡痘根於裡起於心主於胃

胃氣若実百体随暢如妄下之胃氣一虛血氣衰少

瘡痘不發其痘黒陥青紫者百祥丸下之又云下後

身熱氣燥欲飲冰者可治穀不消或寒戰者少時便

定時膈瘡復發透如未見時以硃砂一錢為末蜜以

蜜氷調服多者可減少者可無如熱毒熾盛則加山

豆根黄連犀角一以使之發出入以使之毒觧如眼

有赤脉赤色赤腫生眵加黄芩黄連倍加密蒙花蟬

退之類如眼角青寒与血氣虛少色白不発則加人

參川芎當帰木通蜜炙黄芪火煨白芍倍加露蜂房

之類切不可用姜附辛熱肉桂等藥如異攻散之類是也如冷瀉則加厚朴陳皮白朮史君子砂仁之類如裡急後重則加枳殼檳榔之類如驚搐反目手足風牵乃是熱極制金不能平木而風生矣宜加黄連黄梔以瀉南方之火黄栢知母以補北方之水如宿食不消則加枳实厚朴砂仁之類如大便不通則加杏仁青皮桃仁之類如小便不通則加木通白芍車前梔子黄連之類如小便白濁則加兎絲子韭子桑螵蛸之類以上諸藥寒不至寒熱不至熱能服此消息隨病加減手足眼目之餘毒皆保其必無矣豈有

不能保其生者哉

論表裡治法

或曰疮痘已出未愈之間其疮不光澤不起發根窩不紅者謂之表虚急以十二味異功散救之盖欲急治其表也不知表者根於裡之所發也大凡裡实則表实裡虚則表虚相因而相胥者矣要之看法雖有表裡之分而治法則當自裡及表盖裡可以該表而表豈能該裡哉如能治其裡則表在其中矣合内外而一道也若曰專治其表豈不誤哉其所謂表裡者何也夫疮痘主於脾而發於肺脾主肌肉肺主皮毛

脾與肺者裡之謂也肌肉皮毛者表之謂也所以看法雖有表裡之分而治法則在於裡其可以攻二之耶况異攻散有姜桂大辛之朱以表治之吾恐潰爛而不可收拾至若他症变作輕則殘疾重則損命可不慎哉或又曰異攻散表裡俱虛者亦可治夫表既不可治又豈能治其裡哉以愚論之若表若裡俱不可用也人又曰有屬寒而不發者若非異攻等散丁香木香附子姜桂之熱藥將何以發之耶况丁香木香疮家所忌姜桂附子大辛有毒若服此疮雖發而必有餘毒如前所云所謂餘毒者何毒也姜桂附子

之毒也既服毒藥豈可嫁禍於瘡疽之毒哉不若用温和之為君若是不發其中有用炙者則炙之黄芪甘草之類也用煨者則煨之白芍藥肉豆蔻之類也用炒者則炒之鼠粘子白术枳殻枳实之類也用酒制者則酒制之如川當歸之類也更能調飲食適温煖避風寒則自然起發肥滿紅活光澤而靨矣尚何慮其不發也哉

預防湯

治小兒疮痘未出之時服之預防患难

山豆根　鼠粘子研　苦參各乙分　黄連酒炒一下

升麻一錢 生犀一錢 密蒙花八分 紅花子十粒研破

右咀用水隨意煎服如痘重者亦可减輕

平解湯 疼痘并疹皆治

升麻一錢 蟬退七分 紫草茸五分 露蜂房一錢一分

枳实九分 黄芪七分 荆芥穗八分 密蒙花一錢

鼠粘子一錢乙分炒研 苦參一錢乙分

用水二鍾黑豆五十粒煎八分半飢時服咀内

用枳實者疼痘主於脾使之理脾胃長肌肉如毒氣壅盛使之得以疏通而駃去之用黄芪者瘡痘發於肺使之理肺氣補皮毛三焦不得虚

弱排膿止痛皆安表和中之藥也

加減升麻湯

治小兒瘡疹未出發熱心煩坐卧不寧神効

甘草五分 升麻一錢 白芍煨一錢 紫草茸一錢

生犀鎊七分 連翹去心一錢 木通去皮七分 鼠粘子研一錢

蟬退去翅足八分 厚朴製錢一分 苦參錢一分 露蜂房一錢

用水二鍾煎八分飢時服

犀角鼠粘湯

治瘡疽齊凸毒氣火盛心中煩悶乃和解瘡毒之藥瘡疽密者疹子甚宜服之

枳實一錢　連翹一錢去心　犀角一錢鎊　露蜂房一錢

秦艽一錢　升麻八分　蟬退八分去翅足　紫草茸一錢三分

梔子錢二下炒　黃連錢二分炒　苦參錢一分　山豆根一錢

黃芩錢一下炒　鼠粘子一錢一下研　煎服

古方辰砂散　辰砂一錢為末蜜水調服

辰砂乃辰州所出之砂故名辰砂共次宜州階州皆可用也信州砂亦有墻壁光芒破之作砒氣服之杀人不可用也痘多者可少服少者可無

葛根解毒湯

被世恐疼不發牢熱冀攻散良姜官桂附子等熱

藥而發之徃後疼毒藥毒一併大發如火熾甚不可收救或至眼目双瞎或至爛落牙齒或至爛穿兩頰或至胞腰腫毒或至手足發癰疼毒不消而藥毒不散竟致殞滅父痛母傷號天泣地医者歸之天亡豪發瘡毒而或至死者天也用毒藥以杀人者人也人杀之豈可歸之天亡哉余嘗曰庸医杀人子孫微矣故製此方不惟觧服藥大熱之毒其疼痘如有心煩未透者使其發出已透者亦能減輕俾毒藥除而瘡痘愈兩全無害遺毒者監之

犀角鎊一錢二分　葛根二錢　黄連炒一錢二分　山豆根一錢一卜

黄芩炒錢三分　梔子炒錢一下　甘草錢半　露蜂房一錢
荆芥七分　連翹去心錢二分　紫草茸錢二分　鼠粘子一錢一分
水鍾半煎八分食遠服

川芎紫草湯
治痘瘡灰白色不紅不發項陷不是屬寒則是
氣血俱虚此藥極能除寒又能補虚屬寒屬虚
皆可服之使其痰出而紅活也四肢不發再加
滑石菖蒲各錢二分　龍骨一錢火煅過研用
川芎錢二下　當歸錢三下　苦參錢三下　紫草茸錢半
蜂房錢三下　蟬退一八分　厚朴製錢下　鼠粘子二錢炒研

白芍煨一钱 白术一钱 升麻一钱 括蔞根一钱

木通一钱去皮 黄芩一钱炒 白芷一钱 枳殼一钱炒去穰

用水二鍾煎八分半飢時服如色黑中陷而倒靨者血氣俱虚毒拨不透服此亦宜

升麻紫草湯

治靨黑陷夫黑者譬之如火活則為火而為紅死則為炭而為黑蓋因瘡痘太盛血氣不勝熱拨不透以致不充滿頂陷不紅活而黑焦則是黑者火之死也故其狀也如煨烬之木也若謂土不勝水變黑歸腎則誤矣然此黑陷乃不活

之痘也嘗考之本草經有云麻黄疮痘黶黑之藥取汁乘熱服之避風同其疮復出故又以麻黄為君而以紫草茸為臣為佐為使大率解疮毒補氣血扶脾胃之劑也

蟬退八分 升麻一錢 川芎一錢 紫草茸錢半

人参七分去 陳皮錢 白术一錢 鼠粘子錢半

厚朴錢一分 蜂房錢半 黄芪炙八分 黑大豆十五粒

麻黄去節二錢 當歸酒洗一錢 水鍾半煎八分將飢時服

活血當歸湯 治痘血少將好而色淡者

苦参 丹参 天麻 白芍藥煨各一錢

白芷　牡丹皮　人参去芦　五吳脂各一錢

川芎　地黄酒洗　當歸酒洗　紫草茸各錢二下

用水鍾半煎八分臨飢時服

草茸地黄湯

治痘瘡有全白色將靨時如豆殼結靨不齊者

白朮　厚朴薑汁炒　槐皮　熟地黄各一錢忌鐵

當歸酒洗　川芎　苦参　括蔞根各錢二分

白芷　黄芪炒　蟬退去翅足　鼠粘子炒各一錢

細辛　甘草各五分　紫草一錢二下

用水鍾半煎八分食遠服使之血紅活肉肥滿

陳皮枳实湯

治疸疾宿食不消服此神効

陳皮钱二分　升麻八分　鼠粘子一钱乙卜　烏藥

枳实　青皮各去穰　紫草茸　砂仁

神麯炒　草菓去殼　厚朴姜制　桔梗各乙钱

水鍾半煎八分臨卧服

黄芪白术湯

治疾疸水瀉如神

紫草　白术炒　蜂房　白芍藥煨

烏藥　豆蔻　阿膠蛤粉炒　史君子各一钱

陳皮　苦參　厚朴去粗皮　鼠粘子各一分
澤泄八分　砂仁　黄芪各一分三分
用水鍾半煎八分將飢時服

厚朴梹榔湯
治瘡痘紅痢神効
厚朴去粗皮　白芍煨　枳實麸炒　白术東墻陳土炒
陳皮　蒼术米泔水浸　梹榔雞心者佳　鼠粘炒
各一錢同前煎服

甘草地榆湯
地榆　砂仁　梹榔雞心者佳　鼠粘子炒

厚朴姜汁浸炒　黄連炒　枳殼麸炒　紫草茸

黄芩炒　白芍煨　栝蔞仁　山豆根各一錢

甘草五分　烏梅半個

用水一鍾半煎八分半飢時服此剂因紅白多寡未定而製但下主藥須看痢之顔色如紅多白少以黄連為君或加二分或三分看紅白色而加之如白多紅少以厚朴為君加法如前看白色分而加之若紅白相等依此方兩平之万無一失也

復生散

治小兒已出未出痘疹仙方

硃砂好明淨者四五以細絹袋盛之用線緊縛 川歸去頭芦 升麻 川芎不油者 甘草各六兩 切爲㕮片取東流水七大碗入新砂鍋將前藥煎至三碗去渣用一小竹横鍋弦上懸砂袋離鍋底指許傾前藥水浸袋即止陸續添煑水盡為度開袋取砂仍淨擦鍋底隔紙焙乾研為細末磁罐盛貯封固听用

引経散 用好糯米半升淘淨令乾塩泥包褁入炭火内煆煉通紅取起冷定剖開揀出黄色存性者研羅為細末謹密收蔵臨旹取用

右藥合時須凈室焚香齋戒沐浴勿令雞犬婦女聞見每小兒一歲用復生引經散各一分蜜一茶匙米湯半盃好酒三匙入凈器調匀徐徐喂服凡小兒纔覺發熱服則不出出則必輕若見痘苗及取早者咸服有効萬無一失也是方出自異人得斋居士獲之屢驗欲廣其傳遂書貼南臨潁鄭壁間適武昌宰人吳君見而録之歸即修合家用并施諸親隣神効果然誠保命之良方也因而重梓宜友得之授予亦試有驗不敢私昧故記此以博施之願嬰孩同壽域耳

御續

菊亭張子曰痘瘡之症原於胎毒所致或遇天時而發或三觸之而致皆從於足太陰膀胱壬水之經傳出五臟六腑大抵毒輕者則少毒重者則多輕則燒熱三日徐徐而出其燒即退重則壹起而發或燒一日二日或燒不退先放標之時紅點或從手足或地閣其痘定稀所出之所亦不必大拘心上無者為最次以手足心眉心無者為佳臍當中並陽泉先出者多凶乃是足少陰腎經也如期出美也因內傷起者惡心腰痛作寒有此類症亦不

為害外感起者潮熱不退譫言妄語亦無事耳第甚者咬牙弄舌声瘖犯此数事亦不為害耶先驚搐而放標者十得十全又并或燒一日或徃來潮熱或不燒出一二粒大痘此名標豆過一二日或四五日復燒而出此乃大不必驚疑又一等先由一黑痘諸豆隱於皮膚之間不出必用磁簪打破黑豆出血水尽諸痘自出其痘有輕变重卜変輕必要臨症斟酌不可執一耳治法用升麻葛根湯以疎其瘧次繼之以補氣補血之藥以培其源隨症加減調之百發百中矣

暑覺相似先服經驗

復生散一服俾叧者可稀〻者可無

次服

升麻葛根湯一服以疎其膚內傷起者尠用內加

消導藥

但見紅点便不可發散觧表之藥即服

補氣益榮湯 自製屢驗奇効

人參去芦三分 當歸身酒洗一錢 甘草二分

白术一錢 紫草去芦一錢 鼠粘子八分

陳皮八分

用水一鍾煎四分無時服

如灰白頂陥倍加人参　蒼黒氣粗氣湧氣促肺

熱者忌服

如不紅澤光潤者倍加歸身　血实紅甚者不宜

多服

如痒手抓者倍加牛傍子

如外回温痘松花粉細〻摻之即乾結痂

如渴用麥門止渇飲

止渇飲

麥門冬去心　君人参去芦　五

右㕮咀用水煎湯徐徐服之其渴即止神効

患者之家宜當禁忌先須於

患痘房門外燒皂角并粗糠炮於室内先燒紅棗

炮隨用銅錢燒紅將好滴乳香於其上常常細細

燒之不可缺也攺穢惡止豆痛發豆毒必能乾水

結痂妙不可言也

醫門秘旨卷之十二

外科

五善七恶辩

五善者動息自寧飲食知味一善也便利調匀二善也膿潰腫消色鮮不臭三善也形彩清明語声清朗四善也体气和平五善也七恶者声如燥頻時嗽腹滿渴甚泄痢無度小便如淋一恶也膿血大泄而掀腫尤甚膿血敗臭痛不可忍二恶也喘粗氣短惚、嗜卧三恶也目視不正黑睛緊小白睛青腫特上青色四恶也肩項不便四肢沉重五

悪也飲食不下服藥嘔吐食不知味六悪也声嘶色脱唇鼻赤黑面白四肢浮腫七悪也

諸毒形症逆順

眼白睛黑一逆也不能下食納藥而嘔食不知味二逆也傷痛渴甚三逆也髆項中不便四肢沉重四逆也声嘶色脱唇鼻青黑面目四肢浮腫五逆也煩燥時咳腹痛渴甚瀉泄無度小便如淋六逆也膿血大泄焮痛尤甚膿大臭不可近七逆也喘粗気短恍惚嗜卧八逆也沫潰先黑陥下面青唇黑便污九逆也其氣噫痞塞咳嗽身冷自汗瞪目

耳聾恍惚驚恐語言錯乱皆是恶症十逆也若動息自寧飲食知味一順也便利調匀二順也神彩精光語言清白三順也膿出腫消色鮮不臭四順也性气和平五順也五順見三則吉也逆見四則危也俱至則恶之劇也

不治症

發背脊俞空處肝俞上透膜者死未潰内陷而青黑昏黑便污者死潰純膿内外相通者死脉入腹者不治入囊者死長深及數寸者不治数謂深一寸有命穴上諸陽所聚穴入腦出者在顱後一寸

三分毒入唇者死

水銀膏　治一切瘡疥

大楓子肉二两　水銀用茶末乙分研　樟腦　礬生熟各二分半

先將楓肉为膏次入餘藥和匀臈猪油同入絹

布囊內任意用

飛龍奪命丹

治疔瘡發背癰疽吹乳死名腫毒惡瘡

蟾酥乾者酒化　雄黃　乳沒制　蜈蚣一條酒浸炙黃色去頭足

銅碌各二分　胆凡一分　寒水石一分　血竭一分半　輕粉

射香各一分　蝸牛連殼二十一个　硃砂二分为衣以上各研为末

先将蝸牛研如泥和藥丸如菉豆大如丸不就
用好酒杵五千下每服二三丸先用葱白三寸
令病者嚼爛吐之男左女右手心裹藥用无灰
酒三四杯温服於避風處卧以衣盖之約人行
五七里許用燒酒数盃催助藥力發熱大汗为
度其疾立愈大重不過三服瘡无頭者服之有
頭不痛者服之知痛已成形者服之即愈危急
者服之无失屡驗

蝸麥丸　治諸瘡毒粉瘤瘰核三五年者半料即
消不問悪瘡新起者亦當服此護心凡一切毒

皆可常服末破者即潰已破者即合

明礬生用一兩为末 黄蠟七錢四川者佳色白者是也

右以蠟溶化出火毒候九分冷将礬末入内和匀丸如梧子大每服十五丸加至二十丸米湯或滚白湯随毒上下服之

神應散　治脚指丫湿爛

枯礬六錢 黄丹五分飛过 为末乾掺患處経夕自愈

豨薟膏　治諸瘡毒初起

用豨薟草連根搗爛入酒出汗渣敷患処愈昔一人中牛肉毒害疔瘡将危将死灌下即活

七味相油丸　治疥瘡極効

大楓子去壳　杏仁去皮尖各四十九粒　水銀　花椒　輕粉

朝脑　枯凡各二分

共為末香油搗匀一處為丸弾子大任用

殺虫祛風膏　治諸癬與鵝掌風

樟脑二分　水銀三分　黑鉛一分三分　大風子去壳

杏仁各壹　川椒五分净炒　先化鉛次入水銀取起

入藥同為末香油調搽余治鵝掌風先用嫩槐

皮同蘄艾煎湯燻洗方搽仍以火灸入内効

和血生肌散

治金刀所傷最効及湯火杖瘡跌[illegible]傷破

大黄　當歸尾焙焦各乙刃　杏仁去皮尖五分

共研末搽患処莫若以醋調塗忍一刻之痛其愈尤速或水調塗亦必以酒醋潤瘡四圍則良

黑神散　治諸毒乳癰敷之神効

乳沒　血竭制各乙分　五倍子炒半生半熟乙刃

四味為末醋調敷患処未成即消已成即潰

丹豆散　治耳爛腎囊風痒抓破出水神効

黄丹炒紫色　豆粉各乙刃　枯凡五分

為末同入鍋炒紫取出搽二三次即安

三虫散　治梅毒并瘡毒初起者神効

大黄五钱　蜈蚣乙条　姜蚕炒三钱　全蝎全不制用乙钱五分

為末每服三錢鷄未鳴時用淡温蜜水送下量人虚实增减服一次即安

治瘍五毒方

石胆　丹砂　雄黄　礬石　磁石　黄堥即黄流黄石毒也

寘石胆等五味石於其中燒之三日三夜其烟上灼以鷄翎掃取之以注瘡惡肉破骨尽出

散血愈傷方　治湯火金瘡傷

黄葵花不拘多少用香油浸半月听[illegible]如值患處

將鵝翎蘸油搽上即安

鉄箍散　治諸般瘡毒癰腫杖瘡等症

用芙蓉花及葉晒乾以好醋調敷貼患處如杖瘡

赤腫用雞蛋清調敷冷水加皂角少許亦妙

奇蓮解毒飲　治虫虺蛇傷及一切諸蛇所傷

用半边蓮酒擣取汁飲之將渣敷患處取汗愈

地骨通聖膏　治天疱瘡

用防風通聖散及垃蚓泥畧炒蜜調敷

治凍瘡方

用茄根濃煎湯并以雀児脑髓塗之

瀝清膏　治手足破裂

瀝清二两 黄蠟一两　同熬攪匀瓦礶盛貯先以熱湯洗令拭乾將於慢火上畧炙擦傅

癰疽

脉経云癰疽浮数惡寒發熱若有痛處癰疽所發也脉数發熱而疼不数不熱不痛是為陰瘡發癰之脉弦洪相搏細沉而滑肺肝俱数

隔皮取膿膏

白鹽半两　草烏四个去皮　馿蹄切细　蕎麥麵各乙两

為末調作餅子慢火炙黄色出火　用醋調成

膏白紙攤貼患處水從毛孔出其　自退

内托千金散　治胸背癰疽乳癰便毒等惡瘡

人参八分去芦　當歸一錢酒洗　黄芪一錢半　芍藥八分

川芎六分　甘草三分　瓜蔞七分　白芷五分

官桂三分　桔梗五分去芦　防風七分半去芦　金銀一錢

水二鍾煎一鍾入酒半鍾温服痛甚者倍加當歸芍藥或乳香二錢日進三服二服之後瘡口之内有黑水血出者或遍身汗出皆藥之功如病勢猛惡酒稱藥乙两水乙大椀煎服未成膿者自散已成膿者不用針砭自透此藥屢驗

神仙活命飲

治一切腫毒未發者一服即安

天花粉一錢五分 皂角刺醋炒一錢五分 甘草節七分

金銀花一錢五分 廣陳皮一錢去白 乳香制一錢

川當歸一錢 沒藥制一錢 赤芍藥六分

防風去芦六分 貝母去心一錢 川山甲八分蛤粉炒

右㕮咀用水鍾半煎八分不俱時服

祛毒无比酒

治楊梅瘡毒

川牛膝酒洗去芦 威靈仙 白鮮皮 白蒺藜炒

五加皮　倉耳子各四刄　蟾退二兩　[illegible]丁四刄

金銀花　土茯苓五斤

又細藥

射香一分　銀珠一刄　大黄一刄共为细末

用黑鉛一兩笋包懸入内同煮生白酒二十斤未

下水白酒二十斤同前藥入罎煮上用糯米七粒

於箸封頭上米熟取出任用

治楊梅癬及梅瘡方

土茯苓四刄　防風去芦　苦參　黄連炒　白癬皮

金銀花　薏苡仁　當歸酒洗　姜五片葱一根水煎服

猪牙龟板湯　治軽粉楊梅毎神効

防風去芦　龟板酥炙　木通去皮

木瓜　荆芥穗　川牛膝去芦

當歸尾酒洗　薏苡仁　青藤

牙皂各等分　土茯苓每剂二两

右咀水二鍾煎一鍾甚者二十服可以除根

臁瘡千捶膏

黄蠟一两　萆麻肉五钱　松香五钱

雄黄一钱

生捶成膏用布攤貼患處其初雖粘粘則不落直

待患愈髮生則膏藥自落不拘遠年近日只用一枚其効如神

治諸毒已破未破者神効

川牛膝去芦五分　赤芍藥五分

右㕮咀水一鍾酒一鍾煎一鍾一服即効

治發背神方

黄大下抓連皮肉骨煆成灰　巴豆十粒

右為末用醋調搽患處繞發週圍開大孔塗搽破者滿搽二日一遍次日又換見効如神

治癬及頑瘡方

黄栢一刄　苦參三分　五倍子一錢微黄

雄黄一分　枯礬一分二分　朝脑八分

蛇床子一分　輕粉一分　灵盖粉一分五分析謂粉者燒灰存性也

用雄猪胆調搽患処効

治火瘡方

用生蜜調蛋清共攪成膏以鵞羽掃患處効

又方

用烏桕樹土内根不拘多少去粗皮骨煆焦為末濕則乾搽乾則真香油調搽患処

治秃瘡肥瘡方

用白酒香油各一盏将肥皂内釀一两入内煎数沸取出搗爛復入油内再熬取起入土内埋三日出火毒搽患處一二遍即好

治火丹之患并諸毒初起

用石灰不拘多少入清水内攪勻洇将清者半杯入真香油半杯攪成膏搽上一二次即好

乳香護心散

治癰疽發背疔瘡預防毒氣攻心

乳香一两 硃砂一钱 菉豆粉四两

共为末每服二钱濃煎甘草湯下

槐花酒 治發背

凡人中熱毒眼花頭運口乾舌苦心驚四肢麻木覺有紅暈在背即取槐花子一大抄揀净杓内炒茶褐色用好酒一椀澄過濾去渣乘熱吃酒一汗即愈如若不退再揀一抄如前炒煮服之自効縱成膿者亦无不愈

四宝丸　治諸腫毒并疔瘡等症

麝香五分　蟾酥　氷片　硃砂為衣各一分

右末乳食丸如黄米大每服三五十丸

惡瘡腫者凉水下　小便不通鼠糞湯下

吹乳用瓷瓦鎗湯下　傷寒葱湯下乳瘡水下

神功散　治發背瘡疽一切疔毒瘰癧等瘡已未

成患者皆有奇効難以備述

川烏火炮以裂為度　黄栢去粗皮炙各等分

右為末用小兒或大人唾津調成膏如唾少漱

口水亦可發背瘡疽等瘡初起者敷於患處留

頭候藥乾用㴱水水時、常潤溼每日換藥敷一次如瘡已成重患潰爛者先煎槐枝艾葉湯損溫洗凈用絹帛拭去膿血以香油潤患處仍用綿紙照患處剪成圓錢留頭貼之後將藥塗於紙上如乾依前水潤日換一次所其自然流膿不可手擠敷藥之後病人覔瘡住痛取熱即愈、

內消散

凡患癰疽發背对口惡疔乳花百種無名無頭歹瘡此藥能令能消去毒化為黑水從小便出萬不失一是方不可秘藏猶不可輕視宜寶之

乳香制　白芨　知毋忌鉄　川山甲炙
貝毋去心　半夏湯泡　皂角　金銀花
天花粉各一歺
右㕮咀用無灰酒一梡煎至半梡去渣熱服將
渣搗爛加過秋芙蓉葉末乙兩同和新波井水
敷於瘡上乾亦水潤過一宿自消不必用第二
服忌食發物
腸乳二癰
脉経云腸癰难知脉滑可推数而不熱腸癰何疑遅
緊未膿下以平之洪数膿成不下為宜

乳癰乃熱氣所吹遂生結核於初起時便就忍痛揉
令消軟咂令汁透自可消散失此不治必成癰癤治
法踈厥陰之滯以青皮清阳明之熱細研石膏行汚
浊之血以甘草之節消腫導毒以栝蔞子或加没藥
青橘葉皂角刺金銀花當歸或湯或散加減任意
消毒自然須以好酒佐之若加艾火两三壯於腫处
其効尤捷不可輙用針刀必致危殆以困若得於月
不得於日皆因憂愁鬱悶昕夕積累脾氣消阻肝氣
横逆遂成隱核如大棊子不痛不痒数十年後方為
瘡陥名曰乳岩如棋子瘡形嵌凹似岩穴也不可不

知矣若於胎生之際消釋病根使心清神安然後施之治法亦有可安之理

蒲公散　治一切吹乳乳癰

蒲公英乙大撮　金銀錢半　柴胡八分　青皮一錢去穰

水鍾半酒半鍾煎服取汁即安

又方　用柑子樹葉不拘多少入臈糟些須同擂敷患处取汗即効

散血消癰散　治吹乳神効

白芷　貝母等分為末好酒調服無乳用漏芦煎湯服即安

黄蠟膏 治一切臁瘡毒

防風 荆芥 苦參 木鱉子

花椒 川芎 當歸 金銀花

黄連 黄栢 白芷各七分

右為咀片入油熬褐色入後細藥濾去前渣

乳香 沒藥各一分 血竭七分 海螵蛸

輕粉各八分 龍骨 兒茶各五分共為細末

將前十一味外加血餘二分半 出過雞子白皮

二個同香油三兩煎去渣後將油下鍋入黄蠟

一刃五分同熬滴水成珠取出火半冷入細末

和匀听用再入桐油一両尤妙

臁瘡散

乳香 没藥各制 龍骨煅 密陀僧各乙刄

輕粉 熊胆 硼砂 水龍骨各五分

黄丹 血竭 硃砂 赤石脂各乙刄

白凡八分 氷片 射香各一分 海螵蛸二刄

右為末先将患處洗净方搽

著葉方 治頭臁久不收口

輕粉 黄丹各二分 著葉 凍青葉不拘多少

用好米醋一碗入藥葉煮滾十数沸先洗净瘡

口先用凍青葉貼後用箬葉貼一日換二次

又搽藥

枯礬　皂角焙　銅碌焙　黄丹水飛过各二分

兒茶煆二分　塩焙三分　共為細末亦治楊梅更効

白玉膏　治遠年近日風臁

用生豆腐成片敷上其腐黑去之再敷不黑即好

乳没膏　治臁瘡及杖瘡

血竭　輕粉各一分　乳没　樟腦各五分為末

將黄蠟七分化開成膏入末拌匀油紙攤貼効

合時忌婦人雞犬見

五灵隔紙膏　治臁瘡

五灵脂　乳沒　桑葉等分搗末　朝脳少許

鱉甲醋炙研末鄉間人家百草霜冬天少許　右末将桐油或香油調

用油单紙夾藥在内用針剌眼貼患處

輕粉桐油膏　治遠年近日臁瘡

黄蠟五分　血竭　輕粉各一分為末　桐油四刃

先将油化蠟以末投入一沸為度用油紙攤貼

一葉金　治血風及臁瘡

用茶簍上箬葉将酸糟糟一七取出先以艾盐椒

茶湯洗淨後以箬葉貼上用布包住先痒後疼〃効

瀝油方　用綿花子二升除在外鋪頭盖庄

黄連炒　蒼术　細辛　皂角　明凡　皂凡　塩

花椒　芝麻一升　草麻子　十味為末在綿子中間

燒瀝油

製綿花子油法　大綿花子[illegible]綿花子　綿花子

既済膏　治年久不愈臁瘡

臁瘡脾腎二臟之病也用多年石灰為末雞蛋黄調成丸涙封作團陈乾火煆透冷取出研末桐油調作夾紙膏貼上三日一換冷茶洗去臭氣不过三換結痂即愈紙挨瘡処以針穿小孔使藥透过

痔漏

槐角丸　治腸風下血及痔漏通用

槐角炒　生芐忌鐵　黃連去鬚炒　条芩各二刃

歸身無灰酒洗　黃芪　枳壳麸炒　秦艽

防風去芦　連翹去心　地榆去稍　升麻各乙刃

川芎　阿膠蛤粉炒　白芷各五錢　為末

煉蜜丸如梧子大每服五七十丸空心米飲送

下滚白湯亦可

愈痔止血方　治痔漏出血不止便紅者亦驗

地榆　連翹去仁　生地酒洗　黃栢去粗皮炒　厚朴

梔子炒各系　白茯去皮　赤芍　川芎　蒼术釜五分

防風八分去芦　甘草三分　薄荷　荊芥各七分

用水一鍾半煎八分空心服

洗痔方

馬莧莧　風茄子　如無風茄加尾松龙鈔

將藥入沙鍋内熬十数沸去渣熰洗

又方　洗諸痔神効

馬齒莧一把　五倍子　冭尾松一把　一明凡少許

同前煎洗

黑龙子　治久痔下血不止

百草霜　木饅頭　敗棕灰　烏梅

栢枝葉　油頭髮各五分俱燒灰　桂心　白芷各五分

右俱研末酒糊為丸每服三十丸空心米飲下

氷鉛止痛丸　治痔腫痛不可忍

黑鉛二分化開入水銀二分研末入氷片一分徐

搽上即消

番痔藥

用草烏為末津液調敷肛門内其痔即番出屡驗

十神膏爛藥　治痔漏七瘻五瘤等症爛去敗肉

荆芥　蓼子　白竹　棘柴　杉柴

喬麥楷 芝麻楷 菉豆楷 楓柴各燒灰存性

爐底 石灰各二兩

用稻箩一隻將紙鋪箩內藥灰放紙上煎滾水淋之取汁仍安鍋內將石灰炒黃色調前藥汁咸膏放於磁礶内臨用之時用竹刀調塗患処不拘痔漏瘰癧癭瘤俱以爛下敗肉去尽後用

洗藥 白凡 鷄冠花 五倍子等分煉炒

右三味為末每用煎湯洗之去前藥却用後製

生肌散 龍骨 赤石脂 海螵蛸各五分

乳香 白芨 血竭 枯凡少許

蜜陀僧用黄煮过　木香有熱甚者不用

右為末掺瘡口上待肉生滿為𢪏

敷四圍好肉藥　大黄　草烏　茸草

黄丹　白芷　海螵蛸等分為末

用蜜調塗瘡四圍方用前膏

白姜散　治痔堅硬難落此敷藥催之自落

白姜　百草霜各二朩　川烏一朩

右為末調敷患処𢪏

疥瘡

皮硝沭浴湯　皮硝半斤清水一桶煎洗三四次愈

祛虫愈疥方

硫黄九分　枯凡七分　人言一分　焰硝三分

右為末香油調搽

祛熱搜風飲　治疥及膿疱瘡

柴胡臣去芦　生地臣酒洗　甘草使蜜炙　連翹佐去仁　片芩臣炒

荆芥臣　苦參君　薄荷佐　獨活佐　黄柏臣炒

枳殼佐麸炒　防風佐去芦　黄連臣炒　金銀花君

用水一鍾半煎八分食遠熱服

柍硫膏　治疥膿疱血風瘡

硫黄九分　柍榔五分　人言一分　共為細末

用香油二两将雞蛋黄入油熬黄色去蛋不用却以前藥調搽

治疥方

枯凡四分 輕粉 水銀 大風子肉各一分

杏仁五个 相油九分

先将大楓杏仁肉搗爛入香油調搽

瘰癧

丹溪云必起於少阳一経不守禁忌延及阳明大抵氣鬱之疾曰毒曰風曰熱皆此二端拓引变换須分虚实实者宜治虚者可慮以其屬胆経主决断有火

宜氣多血少婦人見此若月經不調作寒熱变生稍久轉為瘵熱危矣自非断慾節飲食去痰神仙不治

清悪和氣飲　治瘰癧等症

桔梗大分　羌活六分　赤芍七分　烏藥七分　香附七分

紫蘇四分　厚朴四分　枳壳四分　白芷五分　茯苓去皮五分

防風去芦八分　柴胡去芦八分　甘草炙二分　半夏湯泡一分　青皮[illegible]分

用水鍾半姜三片枣一枚煎八分不拘時服

潰堅錠子　此錠不拘瘿瘤結核瘰癧痔漏皆治

用好白砒錢半黄丹炒紫五分枯凡少許研末糯米糊為丸搓成錠子如麻線状長五六分許每用

此入漏孔内或水磨化搽之預將瘤核針一孔仍用豬棕以糸綿纏之清油蘸湿入孔中透令有空竅却納錠藥在内外以紙貼之如此一日一換半月方落後用生肌藥敷之即生肌收口而愈如粉瘤血瘤前枯凡加作三分其瘤即乾裂而落

生肌散　用五倍子燒存性一糸好杭粉炒錢半為末先將清茶洗患処却以此藥摻之不可太厚厚則氣不湤恐壅膿血此蠍三日則生肌滿肉矣

祛痰摟風丹　治瘰癧

南星姜汁浸半夏各二刃川烏　草烏各乙刃

右四味煎水淋後汁藥汁方

桑柴灰半升　硇砂一斤　芦灰半升　硬炭灰　栗柴灰　芝麻灰各半升共為一處用前藥水淋汁入鍋内煎乾听用点在痓上二三次後用竹針刺孔用潰堅錠子藥線揷之孔内如痓大用二條後服丸藥丸藥方

海粉　海带　海石各二兩　海螵蛸

赤芍　升麻　白芷　川山甲

大黄煨　龍脑　防風去芦　金銀花各一兩

連翹　當歸各三兩　甘草一兩　錫丹五斤共為末

用酒打糊為丸如梧子大每服六七十丸食後

酒下　一人以夏枯草煎湯代茶一年瘰癧愈

膏藥方

白芷　防風去芦　苦參　黃芩炒　青藤　金銀花

羌活　殭蚕　黃栢炒　甘草　独活　川山甲

赤芍　歸尾等分　蜈蚣二条　將香油一斤浸七日入鍋同煎黑色去渣後下細藥　黃丹水粉各四兩為末細下之收油為膏下後藥　孩兒茶

龍骨煆　血竭　輕粉等分一分　氷片一分　入膏內攪勻听用

本香膏　治老鼠栗子瘡

沉香　乳香　黃香　丁香　廣木香　青木香

黄蠟 黄丹 銀硃 降真 蓖麻子 定風草 硃砂少許，余等分

共為末，將桐油、黄蠟、松香同入礶内熬膏，取出凉水温丸，如指頭大。先用針刺去疮血，米泔水洗凈上藥。若老鼠疮、姑瘡，黄丹少許；栗子瘡，宜用多。

金銀湯 治瘰癧已成者自破，未成者自散

皂角 當歸 苦參 生地酒洗 川山甲 金銀花 防風去芦 白芷 大黄 赤芍各三錢 瓜蒌仁 欝金各三錢 升麻八分 殭蚕 桔梗 連翹各八分

用水鍾半，姜三片，葱一莖，煎八分，熱服。

又方

荆芥　當歸　防風去芦　白芷各六分　黄芪七分

貝母去心　苦參　連翹去仁　漏芦　昆布　金銀花

海藻　海黛各一分　乳香　甘草各三分　乾葛　川山甲

桔梗各五分　木通去皮　片芩各八分

用酒水各一鍾煎一鍾熱服忌生冷炙煿之物

洗方

防風去芦　白芷　苦參　甘草　蒼耳草

荆芥　艾葉　羌活　獨活　皂角　荷葉蔕

歸尾　蜂房　赤芍　防已　金銀花等分

用水濃熬洗患處已破者尤妙

医門秘旨卷之十二終

醫門秘旨目錄十三

卷之十三

卷之十四

卷之十五

煅煉門

制造門

醫門秘旨

雜方

霞天膏　此方即倒倉古法，傳自西域異人，指余

按煎劑治痰，遂推廣之。

用二陳湯加防風、荆芥、薄荷等分熬汁煮膏，成

隨飲食拌服之，服盡自有功矣。

黃牯牛一具，選純黃無病者，洗净，取四腿、項脊，去

筋膜，將肉切成塊子，大如栗，稱三十斤，或四五十

斤，於静室以大銅鍋或鉄鍋，用二陳、防風、荆芥、薄

荷熬水煮之，不時攪動，另以一新鍋煮沸水，旋加

常使水滑肉至五六寸掠去浮沫只煮至肉爛如泥净去渣却將肉汁以粗布濾入銅鍋仍用一色桑柴文武火熬候不住手攪不加熟水只以汁漸加如稀湯滴下水不散色如琥珀其膏成矣此節火候最要用心否則壞矣大段每肉十二斤可爛膏一斤為度磁器盛之是名霞天膏用調藥劑初少漸多沸熱自然溶化和丸劑則每三分攙白麵一分煮成糊或用煉蜜寒天久收若生黴重湯煮過熱天冷水應之可留三月

救自縊法

凡自縊高懸者徐徐抱住解繩不可截斷其下安被卧之用一人脚踏兩肩手挽其髮常令強急勿使緩縱一人以手挩処胸上數摩動之一人摩將臂脛屈伸之若以強直但漸屈之并按其腹如此一時頃雖得氣從口出呼吸眼開仍引按不住須臾以小桂湯及粥清灌令喉間漸漸能嚥乃止再令兩人用竹管吹其耳此法最好无不活者自旦至暮雖冷亦可救自暮至旦陰氣盛救至難耳

救凍死法

四肢直口噤只有微氣者用大釜炒灰以囊盛熨

心上冷即換之自開氣出然後以粥清稍進之若不先温其心便將火灸則冷氣與火爭必死

孫真人救落水法

急解去死人用艾灸臍中即活

又法

凡溺水者救上岸即將牛一頭以溺水之人壯横於牛背兩邊用人扶策徐徐牽行倒出腹中之水如醒以酥合香丸之類或老姜擦牙若無牛用二人於長板凳上卧將溺人如前法以肚相抵身上水出即愈

王樞丹　一名紫金錠　一名万病觧毒丹

療諸瘡利關竅通治百病神効不可具述凡居家

出入不可无此藥

山茨菰俗名金灯籠葉似韭花似灯籠色白上有黑点結子三稜二月開花三月結子四月初苗枯即空地得之遲則腐爛惟尋実身有徑老鴉蒜相類但蒜无毛茨菰上有毛色畧宜分外去毛皮淨焙二刃　千金子一名續隨子去殻研去油取淨霜一兩

麝香研二錢淨　文蛤一名五倍子搥碎洗淨乾稱一刃末　紅芽大戟一名紫大戟洗淨焙乾刃半汕南產者佳形如井草而堅實切不可誤用綿大戟江南有土大戟紅色者可用　共為末和匀用糯米糊於石臼中搥千

下每料分作四十錠每服半錠病重者全服一

錠量病輕重各依後開湯服合宜端午七夕重

阳如欲急用取辰日或天德月德日亦可勿令

婦人孝服人雞犬等類相見要靜室焚香脩製

否則不効

一凡中蠱毒狐狸鼠莽惡菌河鲀毒死牛馬猪肉

毒山嵐瘴氣諸藥毒飲食草木禽獸一切諸毒

俱用薄荷湯下或水磨亦可

一癰疽發背無名疔毒对口天蛇頭一切惡瘡及

諸風瘾疹赤腫諸瘤未破等病俱以淡酒磨服

仍用凉水調塗瘡上日直各数次良久竟愈漸

消已潰出膿血者不可服

一陰陽二毒傷寒心悶狂言乱語胸膈壅滯邪毒未發及四昔瘟疫用薄荷磨凉水下

一瀉泄肚痛霍乱絞腸沙用薄荷磨湯服赤痢冷水磨下白痢姜湯下

一急中顛邪鬼氣狂乱喝叫奔走無灰酒磨下自縊落水死鬼迷驚死未経隔宿心頭温者并用冷水磨灌良久即甦

一蛇犬蜈蚣一應悪虫所傷冷水磨塗患処另用淡酒磨服

一心氣痛淡酒或姜湯磨下瘧疾不問新久臨發

時東流水煎桃柳枝湯磨下

一小兒急慢驚風五疳五痢癮疹瘡瘤并用蜜水

薄荷小葉同磨下牙緊急磨塗一錠分作三服

如小兒分作二服量大小與之

一諸痔空心冷水磨服并敷患處溫則為末摻上

乾則用水敷搽

諸牙疼酒磨及含藥少許吞下如湯火傷東流

水磨塗傷處打撲傷損炒松節無灰酒下

一年深日近頭疼太陽痛入酒與薄荷研爛敷太

陌究上

一失心羊兒猪顛風并中風中氣口眼喎斜掣顫夜多睡涎言語謇澁或口禁牙閉緊急筋脉攣縮骨節風腫手足疼痛行止艰难手足偏枯風氣疼痛并用酒磨下

一嶺南兩廣毒重最多若從官於此總齎意思不快即服一錠或吐或瀉随手便瘥如牛馬六畜中毒亦以此藥救之

一婦人腹内硬塊多日不消又月經过期不至腹内作痛熱酒服之如有孕忌不可服

一婦人苦頭風作運吐痰酒磨下効婦人隔氣及
男子轉食服之并愈
一男子便毒堅硬又患痔老成膿者苦痛大小便
俱难各進一錠後去二次痛即止不日而消
一男子患發背頭如粟米硬如頑石內服外塗後
去三四次每去肛門如火炙不日而瘳
一三人剥死牛即日徧身患紫泡不計其数已而
惧潰各灌一錠吐泄而甦
一小兒昏憒六日不醒諸藥不効用它灌服此藥
即時甦醒

一女子被邪所交腹作痞服之随下惡物其邪仍至又服半錠每夜更燒二三錠使藥氣盈屋遂不再来

一家患屍勞兄弟五人已死三人有方士令服此藥遂各進一錠随下惡物如膿状一下死虫如蛾形俱獲生其人遂以此藥廣济屍疰無不効

一人患痢純血垂死用凉水磨一錠服之即愈

一女子久患癆瘵為虫所噬磨一錠服之一時吐下小虫千餘條後只服蘇合香丸半月遂如常

凡一切襟病及瘡疽等毒未成膿者甚効已成

膿者亦能稀大勢考其藥品雖不言補令羸瘦之人服之効誠濟世衛生之宝也然以價計之用銀不過三錢製藥四十錠可救四十人有力之家當合以濟人古方照依修製果有神驗濟世衛身実不可無他製雄黄等味者為効差緩耳

余先君憨仙翁得傳於異人每料加硃砂三錢雄黄三錢合旹切忌婦女雞犬相見每搗一下念太乙救苦天尊一遍如是千搗口念千遍用之屢有奇騐

固本丸

凡服此丸者只說無福無禍不知其妙全在製法熟地黄天門冬性緩味黏多滯泥于所經生地黄麥門冬性疾味輕每不俟於所佐人參主元氣任引而後入三焦予感異人之授頣表而出之

熟地黄天門冬 生薑汁浸二日酒浸一日

生地黄麥門冬 米泔水浸二日酒浸一日

搥搗如泥將杏仁湯化開溶漉淨渣又磨尽如澄小粉之法摘去上面水取藥粉晒或重湯煮乾研細末等分和人參末煉蜜丸如常法服之

太極丸

人之五脏配天之五行一有不和是以為疾藥有五味各主五脏可便調和故曰太極

胡桃仁屬木主潤血養血血屬陰々悪燥故油以潤之佐破故紙有木火相生之妙古書云黄栢丸知母破故紙丸胡桃丸水母之丸鰕也去黄皮待各藥末將此三両二分研為泥和前末

破故紙屬火主收斂神明能使心包之火与命門相通固元阳堅骨髓充実滋以治脱用新瓦炒香為末二両八分

砂仁屬土主醒脾開胃引諸藥歸宿丹田香濟和合五脏冲和之氣天地以土為冲氣也去殼先將五分用好椒一両同炒去椒又用五分不炒者共為末一両

知母屬金主清理肺金苦以降火佐黄栢為金水相生之理去毛酒洗浸一宿晷炒二両四分

黄栢屬水主滋腎水苦以堅精去皮毛忌鐵器塩酒浸三日炒褐色為極細末三両六分净

右末和匀煉蜜丸如梧子大每夜白湯或茶酒

送下五七十丸服至三年効不可言苟久服之

終能成地行仙矣

四寿丹

此四味藥性温和俱世間有寿之物松脂茯苓

者松樹千百年之精華也栢子仁者栢樹一年

一發之秀而凝結成實者也菊花者開於霜雪

之際承萬物既斂而自開之炁氣也人能終身

服之自然醖釀脏腑薰烝四肢堅固筋骨不比

一切補藥若附子蓯蓉之藥燥熱助阳只遂淫

慾殊不知腎經怕燥日久水被火煎自取損命

此方茯苓補清水道健脾利痰栢子仁清心火利濁氣補心養神松脂澁精不漏其香能行血利氣又厚腸胃菊花清肝血明目能助胃氣之上升能降心火之妄動又能助筋強骨補腦袪風妙難盡述

白茯苓去皮筋淨五兩　栢子仁敲碎取淨五兩　甘菊花生溪澗中小朶黄花洗淨五兩　松脂明淨者斤半入沙鍋內每用無灰酒一椀井水二椀文武火煮三沸三寸香久傾冷水内又煮共二十七次次定為末取淨極細者二十五兩

右四味各研共足三十兩水火煉蜜丸如梧桐

子大每服五七十丸空心并臨時盐湯或酒送下乾醃内押之

班龍宴

班龍者鹿也氣禀純阳活血補血非金石草木之比乃仙家服食丹法二十四品予賦孱病察頼此載告歆起於人柰何術多天禁訣待口傳知音者依此餧养廣延方士未必無相值也

馴牝鹿一隻每日以好人参五刃六乎煎水吃藥渣拌米豆麥同各色土産藥材餧养以時勿犯襍水草百日之外筋露可用矣

宴法夜前减食次早鹿後二足用布索懸起前二足用有力者抱定有角用木囊頭拘之握其两耳使頭不掉側先用三稜鉄針刺開天地交次用銀筒如一頭斜鋭入穴主者坐定咂其血十数口飲藥酒数杯復咂復飲醉為度鼻中流出者亦可和酒飲畢即避風行升降工夫坐卧至醒是為一宴也用生肌藥敷鹿冗又养又宴漸随人意一年可宴十二度一鹿可用五七年不拘男女老壮能用之終身無疾而亦有寿矣

人參去芦 白术土炒 茯苓去皮 當歸酒洗 芍藥煨

地黄酒洗 川芎 甘草各乙刃 沉香 木香各五分

右十味預煮無灰酒一鐏窨久用時少加撒姜

葱仍乾内取之牛羊内尤妙

斑龍餕

养小牝鹿数隻亦如斑龍宴法但不取血不群

牝鹿养至三五年漸加硫黄入料久則毛脱血

白置於高大圈欄内别以牡鹿在外誘之欲交

不得必高躍長鳴日夜守定待其身顫不堪必

至洩精是為餕也急用銀磁器接收香遠十舍

鍊藥入服食丹藥有火候銖两口訣仙家所禁

竹帛不傳謾此類言未必無相值者

不老丹　四製何首烏

本草云何首烏味苦微温無毒久服益氣血悦顏色身体輕健鬚髮又黑齒落更生助陽益陰生精添液補髓填津固濟丹田令人有子不老还童延年益寿大有神功

又云五十年者如拳大号山奴服之一年鬚鬂清黑一百年者如椀大号山哥服之一年顏色紅光一百五十年者如盤大号山伯服之一年齒落重生二百年者如斗大号山翁服之一年

顔如童子形狀走如奔馬三百年者如枵樝大

服之一年延寿結脉地仙矣

取法五月五日或二月八日採取新鮮赤白雌雄

二種数十斤勿犯鉄器以竹刀刮去皮切片米

泔浸一宿蒸熟晒乾臼中擣為末称四斤以人

乳九蒸九晒分作四分听用

一斤入鍋盆内用桑椹取汁二斤陸續拌匀日

晒夜露取日精月華之意以汁浸為度

一斤入鉛盆内取旱蓮草自然汁二斤同煎拌

匀晒露法

一斤入鉛盒內取生地汁二斤照前拌晒露

一斤入鉛盒內以當歸煮酒二斤亦如前晒露

右製畢和合一處研細以配後末

配合藥品

人參半斤　黃精一斤　秋石半斤用乳汁拌勻入鉛盒內日晒夜露

粉草二兩　白茯苓去皮半斤為末入鉛盒內乳拌勻日晒夜露以乾為度

黃栢半斤　鹿角霜半斤　枸杞子半斤　血餘灰一兩

生地半斤　熟地黃半斤用酒浸洗

右為末和勻煉蜜丸如梧桐子大每服八九十丸空心吞下

張三峯膏藥方

治五劳七伤左瘫右痪半身不遂寒湿脚氣癰疽發背瘰癧疔瘡瘋癬疥癩無名腫毒膿血等症遺精白濁赤白帯下胎氣不定月信不通蠱脹腰疼轉食痞塊醉後嘔吐諸毒虫犬咬害跌打損傷傷寒發狂赤白痢疾偏墜疝氣并治

諸瘡襍症不难医　此藥無非用莫疑

萬病方敷皆立効　分明活法任伊為

白芷各半兩　帰没各三分　五片川山甲

隻加木鱉全　巴豆一百二粒　八兩末黄丹

草麻加入去　医痞似神仙　赤白芍藥根

生熟地黄新　當帰并白芷　四季莫錯尋

加上五灵脂　萬病必須寧　乳香加在内

地府又數帰丹末要飛过

粗藥

白芷　兩頭尖　帰尾各二兩半　木鱉子二十个

赤芍　生地黄　熟地各五兩　槐柳條各廿節

川山甲五片酥炙　香油一斤　桃仁七十个

巴豆　草麻子各一百二十粒

俱成片入油内浸春五夏三秋七冬十日足取

出入鍋内用文武火熬將槐柳各一枝一順攪煎至巴豆黒色以油滴水内不散取起濾去渣再入鍋煎方可陸續下黄丹煎至漠起攪之不起烟然後全下細藥攪匀收入磁器内用水浸一宿去火毒照貼法攤用

細藥

乳香焙乾 没藥焙乾各二分 白芷 五灵脂 蝉尾各二分半 共為細末入前膏藥内攪匀

詩 熬時务要用心机 平称刃鍋槐柳枝

曰 順攪丹油渣濾去 成珠為度少人知

一五劳七傷貼膏肓二穴肺腧一穴陶道一穴甬泉三里曲池各二穴中脘一穴烘一百餘手

一半身不遂寒濕脚氣左癱右瘓俱貼患処烘一百餘手

一癰疽發背瘰癧疔瘡起處者烘双手一上一下务要内熱以散為度若見膿血不用烘手便貼

一咳嗽吐膿血貼肺腧二穴烘八十手如不止貼膏肓三里曲池烘一百五十手

一男子遗精白浊下元虚損加木鱉子一个貼臍烘八十手

一女人赤白帶下胎氣不定月経不通加木鱉手

一個貼臍烘八十手

一腰疼并各処痛加木鱉手一個貼痛処烘手以

内熱為度

一瘡塊先用麵圈瘡内加皮硝一两用紙盖頭将

熨斗熨紙务要内熱去硝麵然後貼膏藥加木

鱉手一個烘一百五十手為度輕瘡不用硝麵

熨烘手内熱止

一偏墜貼痛處犬蛇咬傷貼上便好出膿亦好俱

不烘手

一蠱脹貼心上臍下加木鱉子一個烘一百手

一晏風醉後嘔吐貼肺腧及心口下三寸烘一百手

轉食貼肺腧及心口下二寸烘六十手

一過傷生冷貼心口下用双手共烘八十手

一癱瘓貼起処烘手出汗

一打折傷損貼痛処加木鱉子一個不烘手

一傷寒發狂貼心膻中用二兩烘八十手

一傷暑及赤白痢貼臍中用三兩烘八十手

一冬三月傷寒及赤白痢疾貼臍中用三兩烘一百手出汗為妙

詩　内外諸医識症真　全憑診脉問原因

曰　将来神藥攤敷貼　立地從交病患輕

肺腧二穴在第三椎骨節下間俛而取之

膏肓二穴在第四椎微少五椎上二分微多以脊

骨中横紋開兩傍各三寸半离髀一指許上角

膜掠下角四筋

三関重按中指淩处是穴治百病

肺腑穴心口下三寸两傍各二寸是穴

曲池穴手節尖紅紋尺处是穴

三里穴在足膝下三寸滔者是穴

中脘穴上平鳩尾下平臍中折是也

詩 此方妙用最通仙　除是賢人學道傳

曰 萬病無憂皆應驗　俞歸地府又敷还

杖瘡膏

黄栢　黄芩　黄連　梔子各炒　歸尾　松香

血余　乳沒各二錢　黄蠟三錢　赤芍八分

右為細末用淨腱猪油四兩熬化入前末藥攪

勻離火方入乳沒推貼

人參造化糕　能補氣血養脾胃服水土

人參去芦　茯苓去皮各四両　白术土炒

山藥　芡實　蓮肉去皮心各三兩共為末
用粳米一斗磨粉將前藥和勻又加糖或蜜蒸
糕火焙之

女貞丹

冬青子本草中謂之女貞子去梗葉酒浸一宿
粗布袋擦去皮晒乾為末待有旱蓮草出多取
數担搗汁熬濃和前末如梧桐子大丸少則煉
蜜加添每夜用酒送下百日見効初服後便能
使老者無夜起之勞旬日便覺膂力加倍久能
變白髮為黑其効甚大莫可盡述

金櫻煎

經霜後以竹夾子摘取於木臼中轉杵却刺勿損之劈為兩片去其子以水淘洗過爛搗入鍋内以水煎不絕火約水耗半取出澄濾過仍重煎似稀餳每服取一匙用煖酒一盞調服

又云即棠梨止久泄取其溫且澀去之用者待紅熟取汁熬膏大誤也紅熟則失却本性今取半黄時採為佳十一月十二月採佳本草云療脾泄止下痢利小便澀精氣久服令人耐寒輕身方術多用

松梅丸　肥腸健体之驗　益壽延年之功

松脂一斤煉熟　烏梅凈肉六兩　地黄（一兩酒蒸　懷慶者佳）

如後法製煉丸如梧桐子大每服五十丸空心淡白湯下此藥最能加飲食致身肥健小便清大便潤及精神不倦余考諸本草松脂味苦甘温無毒安五臟除熱去胃中伏火咽乾消渴久服輕身不老延年聰耳明目固齒潤肺辟邪氣去歷節風癘風酸痛不可忍仙家多煉服可以辟穀之須得明凈者十餘斤先以長流水用鍋淋桑柴灰汁煮換三次再淋桑灰汁仍煮七八

次扯挼又用好酒煮二次完則以長流水煮過一次扯挼白味不苦澁為度晒乾入石臼內木杵擣取淨末依方配合再擣一日作丸酒晒乾

熟地黃味甘無毒填骨髓補五臟不足及男女勞傷通血脉益氣力利耳目一名地髓久服輕身不老黑髮增寿服此味須忌三白禁鉄器取沉水者佳晒乾秤用以酒洗浸柳甑砂鍋蒸半日入臼擣用

烏梅肉味酸平無毒能下氣除熱安心神療肢体生津液利経脉去痞消痰治骨蒸癆瘦觧煩毒久服令人不思曬故東垣有言

凡酸味最取補元氣調其有收歛之义耳取潤澤肥大者三五斤以無灰温酒洗浸甑内蒸熟去核取肉搗和前二味成丸任意服

四和湯

四两白塩四刃姜　五斤好蜜二茴香
半斤杏仁麥麸炒　四刃甘草蜜炙黄
枸杞四两核桃四　芝麻一升最為良
能和血脉增延寿　此藥神仙第一方

蘇梅丸

烏梅肉四刃　蘇葉末二刃　乾葛末一刃二分

白檀香二刃薄荷末一刃青盐煅三分用白沙糖一斤研細入前藥末和匀用米飲和成丸外四兩白檀為衣每服三四十丸白湯送下

神効藥酒方

治諸風及跌打損傷佳氣一切病症

牛膝去芦　木瓜　白芷　厚朴　川芎　黄芩炒　陳皮去白　官桂　白芍煨　杜仲酥油炒　紫荆藤　防風去芦　人参　桔梗　独活各去芦　荆芥去梗　半夏湯泡　甘草各二分　青藤　蒼术　五加皮　羌活上下各四分　姜蚕　前胡　天麻各三分五分

乾姜煨　菊花各二錢　烏藥　石南藤各五錢
當歸酒洗四錢　右用絹袋盛之無灰好酒十五斤加黑豆一合謹封坐釜中煮百沸為度埋土中一七每服量虛实飲每日三次中風癱瘓半身不遂手足頑痺麻木渾身損痛頭風等疾並皆治之一醉則効速加燒酒三斤渣可再煮家傳屢驗之方也

烏鬚方

用水蛭二条放瓷碗中餓一七將水蛭洗净用白烏骨雞一隻取血用好京墨血内磨濃將水

蛭入血内蛭飽用針刺蛭血搽髮鬚晋白髮三分自然血汁透入鬚髮一年茂黑不退且不硬

臟連丸

用猪大臟極厚者三四寸宜黄連四刃為極細末入脏内用線札定兩頭放入飯甑内蒸一炷香脏熟為度取出杵為泥加山藥末一两木香末三錢如乾难丸加米糊丸如梧桐子大每服六七十丸空心用側栢葉煎湯送下專治大便下血脾瀉腸風痔漏神効亦治痢疾神驗

醫門秘旨卷之十三終

醫門秘旨卷之十四

危病十方

漢神医華陀字元化嘗云人有危病急如風雨命医不及須臾不救覌其横夭實可哀怜余因暇日選十件危病処䊀方以救之詳録於後不可不知也

一霍乱吐瀉其症始因飲食或冒風寒或失飢或大怒或乘舡車傷動胃氣令人上吐吐不止令人下泄吐泄并作遂成霍乱頭旋眼暈手脚轉筋四肢逆冷用藥遅緩須臾不救

呉茱萸　木瓜　食塩各五分

右三味同炒焦用磁礶盛水三升煮令百沸入前藥同煎至一二升已下傾一盞隨病人任意冷熱服之即甦如倉卒無藥用枯凡末每服一錢白沸湯点服効如無白礬只用塩一撮醋一盞同煎八分温服或醃梅鹹酸皆可煮服

一纏喉風閉其症先兩日胞膈氣緊出氣短促驀然咽喉腫痛手足厥冷氣閉不通頃刻不治

巴豆七粒三生四熟生者去殼熟者去殼炒去油存性用

雄黄皂角子大明者佳　欝金一个研為細末蝉肚者佳

右為末每服半字茶調烟呷如口禁用小竹管

納藥吹喉中須臾吐利即醒如無前藥用川升
麻四两剉碎水四椀煎一椀灌服如無升麻用
皂角三錠研碎挼水一椀灌服或吐不吐即安
一吐血下血其症皆因内損或酒色勞傷或心肺
脉破血氣妄行血如湧泉口鼻俱出須臾不救
側栢葉蒸干 人參焙干各乙𠔏
右為末每服二夭入飛羅麪二夭新水調和稀
則似糊服如無前藥用荊芥一握燒過盖地上
出火毒研碎陳米飲調下三夭不過二服愈如
無荊芥用鍋底墨研為末每服三夭米飲送下

連進三服

一中信毒其症煩躁如狂心腹攪痛頭旋欲吐不吐面口青黑四肢厥冷命在須臾

黑鉛四兩磨水一碗灌之如無前藥青藍靛兩握研井水調一碗服之如無藍靛用清油二升許灌服其毒即觧如無油掘地用水作漿濃吃一二碗愈土要黃色者佳

一屍厥其症偃卧似死四肢逆冷不省人事腹中氣出如雷鳴

焰硝五錢　硫黄二兩　共為末作三服每

服用好旧酒一大盞前羗熔硝起傾於盞内盖

着服如人行五里又一服不过三服即醒兼灸

百會冗四十五壯臍下氣海丹田三百壯身温

止如無前藥用附子七分重炮煨熱去皮臍為

末作二服用酒三盞煎一盞服如無附子生姜

自然汁半盞酒一盞同煎令百沸并灌二服仍

照前灸

一中忤中悪鬼其症暮夜或登厠或出郊野或遊

冷屋或行人所不至之地忽然眼見鬼神鼻口

吸着悪氣猛然倒地四肢厥冷搐吐血腥侖遂

三

海勿令氣冷如無葱白用生姜二七片亦好依前法服治之

一鬼魘鬼打其症或初到客舍館驛及久無人居冷房睡中竟鬼物魘打但其人吃吃作声便令人叫喚如不醒是乃鬼魘也不救即死

牛黄一分　雄黄乙分　硃砂五分

右為末每挑一分床下燒次挑一分調之如無服藥用桃柳枝東边各折煎湯灌下如無桃柳枝用竈心土末服二分井水調灌更挑中指内离甲一韭葉各灸柴壯

一孕婦逆生其症因孕婦欲産時遇腹痛不得舒伸行動多屈腰忍疼其兒在腹中不得轉動故脚先出謂之逆生須臾不救子母俱亡

烏蛇退一条　蟬退十四个　血余胎髮一毬以上俱燒灰

每服二錢酒調下并進二服仰卧霎時兒即順生如無前藥用槐子二七粒并井花水吐下如無槐子用小絹針於兒脚心刺三四針鹽少許塗脚心刺處即生子母俱全

一胎衣不下惡血沖心其症心頭迷悶胎衣上逆沖心須臾不救子母俱亡

須臾此症與尸厥同但腹不鳴心腹俱煖凡中
惡驀然倒地切勿移動其屍即令親戚衆人圍
繞打鼓燒火或燒射香安息香蘇合香樟木之
類直候醒知事方可移歸

犀角末錢五分　射香　硃砂各二分半

右為末每服二分井水調下如無前藥用雄黄
末服一分煎桃枝湯調灌如無雄黄故汗衣或
融衣汗衣着在身久遭汗者佳融衣久着肉衣
襯衣也婦用男衣男用女衣燒存性二分用百
沸湯送下

一脱阳其症多因大吐大泄之後四肢逆冷元気不接不省人事或傷寒新瘥誤與婦人交合此症小腹緊痛外腎搐縮面黑氣喘冷汗自出亦是脫阳須臾不救先用葱白数茎炒令熱熨臍下次用白术 乾姜各五分 木香二分半 附子一枚重乙刃剉大片 四味為末水二鍾煎八分放冷灌服須臾又進合渣并服如無前藥用桂皮二刃好酒二升煎一升二次灌之如無桂皮用葱白連鬚三七根細切沙盆内研細用酒五升煮至二升分作二服灌之阳氣即回先用炒塩熨臍下气

乾漆五分　大附子一个炮去其皮臍各為末

大黄五錢用酒醋熬乾即入前藥為丸如梧桐子大每服三十丸淡醋湯下少頃又進二服胎衣立下此藥可預先合下丸𥻘如無前藥用赤小豆一升炒過用水三升煮一升去豆取汁温服即下如無豆用婦人自已手足指甲燒灰酒調下少頃又進一服更用有力婦人抱起將竹筒心上趕下尤速

追虫打積丸

治諸虫積塊

大黄八两　梹榔五两　黑牽牛四两各為末

皂角十度七个吐者　苦練根皮一斤朝東行者佳

右先以皂角練皮二味用水一大椀熬成膏子和前三味丸如梧子大後用雷丸沉香水香各一兩碾細為衣先用沉香衣後用雷丸木香衣每服三丸四更時分用砂糖水下

用壬子日修合

螽斯丸

枸杞八两　生地四两　熟地二两　當歸二两　白芍一两

黄栢酒炒四两　鎖阳酥炙一两　天門冬　麥門冬各二两去心

為末酒糊丸如梧子大每服七十丸盐湯下

烏髭須固齒散

沒石子六分 雌雄 青塩二分火煅 地骨皮二兩

破故紙兩半炒黃 熟地二兩酒洗 細辛一兩五分

為末每早擦牙噤下尤妙

延齡益寿丹

治諸虛百損一切不足之症

當歸身酒洗 人參去芦 青塩酒炒 破故紙酒浸蒸

熟地黃酒洗 茯神去皮 牛膝酒浸 川巴戟酒浸洗

生地黃酒洗 天門去心 麥門去心 小茴香塩水炒

滴乳香 白茯 川芎 石菖蒲塩水炒

知母鹽酒浸　遠志去心　硃砂　杜仲各姜汁炒乙刃

核桃肉炒黄四刃　姜汁二刃　旱蓮草汁一碗煎熟

川黄柏酒浸二刃日晒夜露三日三夜　川椒燒地紅酒烹鋪椒在上用盆蓋一日听用紅

何首烏三刃黑豆拌蒸七次　蒼朮五斤竹刀刮搗水五碗煎三碗去渣熬至一碗入藥

右為末煉蜜丸如梧子每服五六十丸温酒鹽湯送下

鎖阳丹　強陰固精補腎

巴戟酒洗四刃　韭子炒香四刃　山茱萸去核乙刃　白龍骨煆乙冬

為末酒糊丸如梧子大每早服五十丸鹽湯下午飯前服三十丸晚飯前五十丸其効如神

化骨散　治骨刺喉中服此而愈

用灯草烧灰不拘多少調水傾入喉中少頃即安

烏髭須方

銅花二分半　明礬一分三厘　皂礬半分　五倍子二分製过

白芨半分　硇砂一分　无斗子盐炒过代用青盐亦可

右末藥入酒盃内用濃茶調火上涸起顏色手熱搽髭須上不用色裹待乾洗净其髭須先要洗去油無垢方肯上不脆

三子養親湯

凡人年老痰氣喘嗽胸滿治法妥投蘿湯滌燥利

之藥反耗真氣余因三人求治其親靜中精思以成此方随試随効孝哉人子不可不知也

紫蘇子（主気喘咳用紫色真正者）　芥菜子（主痰寬中用白者佳）

蘿蔔子（主温痞兼理痰氣用白種者俱妙）　共擊碎湏看何症多作則以所主為君餘次之每剤不過三錢用稀布袋盛之煮湯可随甘旨飲啜亦不拘昔勿煎太過令味苦辣口若大便素実入熟蜜一匙如冬加姜服尤良

灸雞爪風法

婦人得此不時發手足挛拳束如雞爪然疼痛

於左右膝骨兩傍各有一小窩共四穴俗謂之鬼眼各灸三壯登時愈

少阳丹

西海亭公路行見一少女將翁處分亭公恠問曰為何女荅曰處分家子何恠問亭公遂喜乃知異人叩拜於女曰要知吾年千歲矣吾是西王母之妹這老翁年一百七歲是吾七代玄孫吾所服少阳丹乃太阳老君晋傳此方為不信吾教不服此藥以致面皺頭白所以責之亭公曰余家住在西海東至扶桑遍採諸藥尋真訪

道未聞此藥今既遭遇頭說此方少女曰此藥用四般龍牙虛名一百三味吾家世服之皆羽化田夫俗輩未嘗見聞此藥又服羽化登仙及療諸病服之延年万歲病皆痊矣

第一名烏嘉龍牙凡有四採春苗夏花秋实冬皮是為枸杞合用一斤為末

第二名天所龍牙是蒼术用一斤擇净米泔水換浸一宿為末

第三名錦綉龍牙是桑葚子用一秤制為深合前藥

第四名百花龍牙是蠶一斤乃是一有三味

右前藥石臼內搗為細末用新磁盆一口將桑椹子汁同藥末一處調勻用細絹蒙蓋盆口放

在浮棚上净處穳受日精月華之氣煎熬乾後為末煉蜜丸如梧子大每服三十丸漸至五十丸空心塩湯下或酒服一年返老还童耳目聰明顏如幼年冬煖夏凉百病不生第一効也

神仙奪命丹

五鄉老羅巫師用此治乳蛾喉閉每用數厘雖極危病隨手而愈

專治疔瘡發背連子蜂窠發腎腧發左右搭背發前後對心發耳後發腎陰發頰䪼瘟𤸇𤺋脹腮乳蛾對口婦人乳發一切無名腫毒悪瘡愈

蟬肚鬱金　雄黄　巴豆去殼各五分

先將鬱金一味為末後將巴豆雄黄二味各研共一處綿紙捲藥捍紙黄一切瘡毒每箇潤頂以紙量大小貼瘡頂水潤效藥糊丸菉豆大三五丸涼水下

剪紅丸

專治諸氣痞塞關格不通腹脹如鼓大便靂閉及腎氣小腸氣水腫等症功効尤速

莪朮　三稜　檳榔雞心者佳　青皮　黑牽牛取頭末

木通去皮　滑石　大黄各一兩　甘遂　雷丸各五分

使君子三分　共為末米糊丸如梧子大每服五十丸空心白湯下日進三次忌鹽及油膩之物

搜風順氣丸

專治三十六種風七十二般氣去上熱下冷腰脚疼痛四肢無力多睡少食漸〻羸瘦顏色不光赤黃惡瘡口苦無味憎寒毛聳積年癖児男子傷虛女人無嗣久患寒熱癱瘓吐逆瀉痢变成癆瘵百節酸疼初生小兒百歲老人皆可服之搜風順氣和血注顏

車前子水淘洗淨二兩五錢　山藥研末二兩　郁李仁湯泡去皮淨仁二兩另研

火麻子微炒去殼取仁二兩　独活去芦一兩　川牛膝酒浸三日曬干為末二兩去芦

大黃五錢一半面包灰火內煨熟去面一半生用同研末　防風酒浸去芦一兩

枳實去穰麩炒末一兩 檳榔二兩 兎絲子酒浸三宿搗蒸成餅晒乾微炒研末二兩

右藥依法修製為末和勻煉蜜丸如梧子大每服二十丸好酒送下或茶清米飲滚白湯亦可服之一月消食二月去腸内宿滯三月無倦少睡四月精神強勝五月耳聰六月腰脚輕健一年百病皆除老者返少孕婦勿服如人覺肚腑微動以羊肚肺煮羹而補之久患腸風便血此藥亦治久服大有効驗

取牙方

人言紫白者佳 江子去殼各五分 苦竹一截 油紙謹封

埋於白馬糞內春五夏三秋七冬十日足抹擦乾净將紙盛放在乾净去處待出掃下紙色如

牙疼点患處口含冷水手在頸上一拍疼牙即落

長春不老湯　冬月避山風瘴氣

烏梅去核　大棗去核　甘草各一斤　蜂蜜半斤　川椒去子　橘紅各四兩

先將甘草着水三十二椀煮爛撈渣後下五味煮熟爛以瓷罐裝之上下加椒末每日清晨用米湯半椀入藥二匙和勻服之能開胃理脾益氣清心諸病不作最好好

治骨鯁方

以野苧根洗淨擣爛如泥每用龍眼打如被雞骨所傷以雞羹化下如被魚骨所傷以魚汁湯化下

青黛雄黄丸　凡中毒及蛇虫咬傷即服此藥能令毒氣不得聚○用上好青黛雄黄各等分為末新汲水調服二錢

斑猫散　治風狗咬傷此患雖為小可九死一生之症可急用斑猫七個去翅足為末酒調服於小便盆内見衣末似狗形者為効無則再服七次無形亦不再發此方屢試屢驗

彭祖小接命序

夫人禀阴阳而生全賴父精母血十月胎完以成人也始在母腹之中感二氣相交結胎胞混沌一氣循如太極未判之先恰纔得候杳然之氣而生兩腎由儀爲内分赤白二脉命腎互關而立四竅四相表裏絲絡生枝而産衆穴乃生五脏六腑質髮皮膚凡在其中性体俱有四門皆閉八竅不開惟有臍帶與母之真氣相連譬如菓生枝上乃繫一身之根本也往來呼吸與母竅接連母吸則吸母呼則呼十月胎完真氣既週而降生矣剪臍落

地方感天地之氣號調一聲命來從徃由恐臍門不閉有傷嬰兒之氣便用艾火薰蒸使外固臍蒂堅牢内保精神無漏漸長成人四門俱開七竅皆通隨因七情六慾五味五音萬世塵俗誘引真精先漏後散人生幼年血氣方剛精神茂盛不覺有其疾病及至長年日傾月衰或貪嗜味酷好淫色漸溢蔓血氣衰弱精神羸敗喜怒勞役積滯成疾患危而待死者有之一切藥味草木之類皆禀陰陽而生根壯葉茂根朽枝凋以致頽敗見此惜之土培水灌樹木復生似此異哉余思世人但有疾

病志意求医救衰同殘殊不知疾有奇恠傳变不一究医之未明而难以治療徒有妙藥豈能愈我良久嘆息人反不如物耳嬰兒落草之時尚用艾火薰蒸臍帶使外邪不侵保育真氣護養成人安享天年不知避忌調理失宜肆縱情慾薄有元耗損真氣戕賊於内攻之所医今將薰臍固帶之法遺世濟人有志君子依法製之豈不美哉豈不妙我法雖小乘有益尤大凡人四十之後亦可蒸制一年之有四日之 分夏至秋分冬至精致薰臍如此一次增寿一紀薰臍數次壽享過百薰之於外攻

之於内服藥於内發之於外賴使内外符合節續表裡内水而外火以接陰陽内鎮心神以接君位外除風邪以補民庶有斯理乎薰蒸之後遍体通達血脉流暢逐寒邪而即時逺遁潤肌膚而頃刻和平先積自此消除去百年安逸好将来

固蒂歸根法　延生活命丹　薰服三次後不老世間人

薰藥　兩頭尖　雄鼠糞　五灵脂各五分

廣木香　白檀香　白豆蔻　香白芷

蓽撥　大茴香　麝香　沉香　官桂

阿魏　胡椒　龍骨煅　虎骨各九分
胡鹽一分　乳沒各二分　共為末先用麵劑圈其
臍臍内先放生麝一錢麵圈上用槐皮盖之槐
皮上再用面圈圈内放群藥末末上放艾團燒
之一歲一丸每丸重二分燒十數丸却換末藥
艾盡為度薰後忌鹽醬十日
如癰瘓加阿魏小茴香胡椒如下元虛冷加小
茴香陳皮乳沒如下淋加五灵脂硫黄燒酒如
胎前産後加陳皮乳香

服藥

硫黄制去油二錢　赤石脂　飛礬　白龍骨煅　五味子

蒼术制各一兩　大茴香　丁香　小茴香　蓽澄茄

沉香各半兩　白豆蔻三錢　木香　沒藥各五錢

右為末煉蜜丸如梧子大每服三十丸空心臨

卧各一服忌生冷之物

鉄刷末

治臟內諸痛血氣惡心一切腸風臟毒滑泄

蒼术米泔浸炒半斤　小茴香炒六兩　良姜香油炒六兩　甘草四兩微炒

右為末每服一錢姜湯下葱白酒湯俱可

烏鬚黑髮奇丹

烏鬚髮助元陽補血氣添精液久服大有神効

生熟地酒洗 天麥門各七錢 川椒去目 胡芦巴酒洗

杜仲酥炒 白茯苓去皮 木香 石菖蒲

小茴香各一两塩酒炒 青塩 胡桃仁

川楝酒浸炒 川山甲去皮膜 紅棗去核皮各五錢 山梔二錢

除桃棗肉另搗各藥為末入酒糊將桃棗二味

搗一處丸如梧子大每服七八十丸或酒送下

乾壓之如固陽加兎絲子肉蓯蓉俱酒浸各一

兩欲明目加枸杞子菊花各一兩久久神驗

方 羊蹄根上 烏梅中 明礬下

各搗為細末和勻用米泔洗凈搽四五次即愈

膏藥方

治血風臁瘡及一切諸毒并皆貼之

荆芥 防風去芦 赤芍 獨活尾

歸尾酒洗 白芷 青藤 金銀花各乙分

香油四兩同前咀熬去渣入黃蠟乙兩入細藥

雄黃 乳没 血竭 輕粉

兒茶 黃連炒 黃柏炒 苦參各乙分

此末入內成膏攤為隔紙膏貼患三日一換一洗

散熱袪毒方 治漆瘡神効

無名子不拘多少為末用井花水調搽少頃又搽不過三次即愈

愈癬杀虫方　治頭上風癬及諸癬一切疥癩等症

用胆礬朝脑各等分　為末每用猪胆調搽即愈

養脾膏　治脾胃不健元氣不充嚴閣下方

芡實　陳米炒熟　蓮肉去皮心　茯苓制過去筋　山藥等分　白糖少許

右為末每服二三匙滚水調下

枇杷散　治鼻準紅色或面赤如火

枇杷炙一兩　片芩炒五錢　梔子炒五錢

右末每服二錢半或三錢臨卧酒調下二三服

治汗斑方

白礬　羊蹄根各乙刄　砒一分　將礬砒為末蹄搗爛布包醋蘸不計遍数搽之已紅可將蜜陀僧末仍用羊蹄根後占搽之可以斷根

治牛諸疾方

常山君　芝麻二合　防風去芦　荆芥　皂角　生姜一塊　共搗爛入酒一大壺摻水灌之其小便即通吃草依旧如耳角根冷此乃閉汗加麻黄為君酒煎入藥内灌進其汗即出而立安

乳沒枯礬散　治聤耳出膿神効

乳沒　陳皮炒存性　枯凡半分　為細末去膿吹入効

寶真萬灵膏一名比天膏

治腰膝疼痛脚膝酸軟五劳七傷中風半身不遂小腸疝氣筋骨疼痛二三十年瘸痪女子赤白带下男子遺精白濁陰精虚寒久無嗣息此膏補虚添精強鎮玉池存精不泄通導血脉能令強徤身体返老還童可助陽道最煖子宫其効如神

粉草二刄　虎脛骨一刄酥炙　杜仲一刄酥炙　天門冬一刄去心焙干

白芷一两 肉荳蔻炮一两 玄参一两去芦 麥門冬一两去心晒干
牛膝酒洗 五味一两去枝梗 遠志一两去心 蛇床子一两水洗晒干
歸身酒洗 防風一两去芦水洗 厚朴一两姜炒 肉蓯蓉一两去心酒洗
人参一两去芦 鹿茸一两酥炒 續斷一两水洗 穀精草一两水洗净
蛇退三条水洗 桑螵硝一两 礞石一两纸色稻草灰和黄泥色裹在内入炭火中煆
地龍一两水養去土瓦焙干作細末與後藥一趣入 生地一两切片酒洗晒干 兎糸子一两酒洗去土晒干
赤石脂一两置瓦上炭火煆过為末 蟬退三条去翅足 姜蚕三条切片姜汁浸洗炒
桑槐枝各七条 用真麻油二斤四两入銅鍋内火
煎熬春秋浸五日夏三冬七文武火熬滚慢慢煎
渣色焦放冷濾去渣澄清油下杏仁壹百粒温水泡去皮尖

大麻子仁一刄 大附子一个重刄 切片 木鱉子廿四个去壳切
文火慢熬渣焦色放冷濾去渣油乾净擦净鍋
投油在内武火熬油大滚文火慢、投飛過好
黄丹乙斤細、下不可太急桑槐榔条攪滴水
成珠不散方投姜蚕鶩末三錢紅蜻蜓末四錢
母丁香末二錢雄黄末四錢乳香末五錢沒藥
末五錢乳沒俱切細陳壁土墻吉内過一宿先
用紙色取出為末阴起石末三錢制法如礞石血竭
末三錢硫黄末二錢黄蠟八錢細細慢攪成膏
大熱投麝香末二錢就收磁礶内三七後巳出

火毒故用每膏七錢或絹叚表紙一層攤貼丸用生羊猪油生姜煎汁熱搽腰膝患処方貼上熱鞋底尉灸有餘下固精暖子宮赤白帯下遺精白濁貼臍連丹田氣海一個貼六七日一換貼臍不搽也要尉

氷梅丸

此藥鎮隊火浮行理上焦元氣極能空清利竅潤燥生精聰耳目健精神春夏袪温暑之傷秋冬歛耗散之氣每日一丸進口噙化精唾嚥下

龍脑香即氷片用五分入乳鉢内擂細入粉草末同擂和諸藥此藥味辛温無毒通神明逐邪熱袪風温明耳目[illegible]

五味子 晒干取細末五分此藥味酸平無毒生精益氣清肅肺金得麥門冬同斂耗散之氣而滋津液之餘也

麥門冬 去心烘乾末七分此藥味甘平無毒寧心胆解煩熱益元氣和血脉健精神得五味子同收暑溫毒解熱濕痰

烏梅肉 洗去灰塵烘干去核取肉末一刃七分此藥味酸平無毒生精潤燥安神养氣調和臓腑之功甚妙

葛粉 要雪白者取粉五分此藥味甘平無毒能解天行時氣之毒利水除濕之功又能解酒毒

硼砂 用二分入瓜蔞霜內同碾末味苦性溫無毒 **瓜蔞霜** 末七分此藥清下焦炎熱味苦辛无毒

柹霜 去沙草重碾細末七分此藥味甘平无毒能令人肺皆潤痰火可降除人熱回凉

粉草 去皮為細片炒香為末二分此藥味甘平無毒能清神养氣助諸藥之力也

孩兒茶 取真者刮去黑皮為末七分此藥味苦氣凉無毒能治口舌皮疮熱燥

白砂糖 取堅白者碾細篩末六分所如合誠用此藥味甘平無毒理脾胃消積熱

紫蘇葉 味辛溫解毒取細末七分功能下氣調中

右前項各取完藥末和合重羅將糖拌勻篩和
煉蜜搗成膏每丸約重二分入磁礶內收藏聽用

千益百補丸

治諸虛百損五勞七傷長服延年効難具述
何首烏鮮者竹刀開去皮如子者淋水浸軟切片用砂鍋熬先下烏豆各一斤烏豆三合量若水上加竹棶將藥西被盖煮熟時
生地酒浸一宿 熟地酒洗 天門冬 麥門冬俱去心
人參各三兩 白茯去皮酒洗五兩 地骨皮以上俱晒干為末三兩
煉蜜丸如梧子大每服五十丸好酒送下空心服

遇仙散 治風痰壅滞氣急語言蹇澀

大黄一兩 白芷 貝母去心 五靈脂各五分

右為末每服弍錢好酒送下

烏金散　治天疱瘡神効

用徽州傘紙燒灰存性乾用香油調搽溼則攙上一二次即愈

鉛汞膏　治八脚虫神方又医頭虱

用鉛一兩火溶化開入水銀三錢取起研細搽上一二次即愈

香粉散　治膿湿疥瘡神効

鉛粉　松香各等分

右為細末真香油調搽一二次即愈

烏髮方

用蝌蚪不俱多少入新磁罐内封固埋地内四十九日取出後将桑椹子熟時将蝦蟇所化之水取出用秤一兩或二兩将椹子照兩数同入罐内初将好金墨一定在内如墨内有麝香不用射如無加射香一分復埋土内四十九日完取出染鬚髮黑只到根可管一月神効

四圣散

烏鬚黑髮神効

黄丹飛七次秋紫色二兩　礦灰風化者三兩　鉛粉絕好者一兩

海螵硝去骨五分

共為細末將好揀煎濃調末藥揉鬚髮上待稍乾即用凉水洗去即黒不可粘皮恐傷故耳一次可四十日神妙

春傳鵲橋方

鴉片　蟾酥各錢半　白附子乳拌炒一錢

姜粉三分姜汁晒乾為粉　麝香三分

右為極細末每用三重午後用口涎調塗龜頭上臨卧洗凈行之

治風痰神方

天麻　南星　半夏湯泡　干葛

防風去芦　川烏　白茯苓各等分去皮

右為末姜汁為丸硃砂為衣每丸重一分姜汁嚼下一丸神効

治走氣方

枳殼炒三分　川芎三分　甘草二分

用水一鍾半煎八分不俱時服

治禿瘡方

用團魚煮汁洗頭令虫出將遠年塵石灰明淨松香等分為末香油調搽

变酸酒成好酒方

黄栢三刀炒 甘草刀半為末 好石灰二升

将前末五斤入缸内不住手攪起白沫入灰神効

治馬諸症

均姜半分 射香重半 焰硝三兀 雄黄半分

為末騙馬点左眼騍馬点右眼雖将疱点上亦起

如大小便不通用烏桕樹根一把用温水洗浄拃

似泥用滚水五碗泡去渣壹盛灌進馬腹牵慢行

数轉拴定恢恢自分如若点眼之後亦要牵行数

步屡驗

百益丹　葉太府公屢驗

補精黑髮強腰活血補腎

何首烏赤白各共八兩米泔洗黑豆撓蒸七次

牛膝酒洗五兩　山茱萸去核五兩　天門去心

麥門冬去　熟地酒洗

黄栢炒　當歸酒洗　白茯苓去皮各五兩

山藥半蒸皮[illegible]兩　枸杞子二兩　人參二兩或一兩

兔絲子酒洗二兩

右為末煉蜜為丸梧子大每服八九十丸空心

淡塩湯下臨卧酒下

烏鷄丸

治婦人諸疾神効并不孕育者

烏骨雞一隻重三斤半悶殺乾去毛割去腸肚

香附一斤分為四製童便酒米泔醋浸制春冬三日秋夏二日艾四两苦蒿四两無蒹亦可　童便酒各半共一鍋將淨雞附艾槁共煮一夜天明將雞去骨連三味共杵成膏為薄餅紙隔微火焙乾雞骨為末外加　人參二两　當歸二两

川芎　生地　熟地各二两　白术一两半

羌活二两　五味子三錢　黄芪二两七錢

牡丹皮二两 阿膠两半粉炒 鱉甲一两半醋炙

為末醋糊為丸如梧子大每服八九十丸空心淡醋湯調下

内府秘傳方 治癭氣神驗

海藻热水洗净 昆布洗净 海帶 海漂消

海粉飛过 海螺醋 甘草少許

如頸下搓者用長螺頸不搓者用圓螺右各等分為末煉蜜為丸如負眼大每夜噙卧口中噙化一丸功効不可言也

治狐臭方

射香　巴豆去殼　木通去皮

右為末每服一錢重浮子酒熬膏為丸金箔為衣空心水酒調化一丸服之以凈桶盛腹内打下穢物急蓋拿開勿聞神効

治風犬傷方

用班猫二十枚去翅足糯米一合同炒焦黄色去班猫将糯米同乾蝦蟇後腿一隻為末水調服之如小腹疼脹用益元散灯心湯調下其物從小便而出其瘡用便洗凈若紫黑可挑破出血水外用黑桃殻填滿大屎合再瘡上用艾灸七壮即安

廣嗣丸

枸杞二両　山藥　山茱萸　吴茱萸各一両

枇杷葉一両先用帽刷七去毛炙蜜金炙黄色　為末煉蜜為丸如

梧子大每服八九十丸酒下女人服此一料即生

如神百点膏

蕎麥楷灰三升　芝麻楷灰三升　石灰少許　用防風

通圣散藥三斤盃水八九碗却將楷灰淋水三次

熬成膏子量入石灰和勻取之点疮須臾自破出

血立消功効如神

龍骨丸　治夢泄遺精滑泄不止者

黄栢　蛤粉炒二珍珠　龍骨煅牡蠣煅各一刄

右為末如梧子大每服六七十丸空心淡塩湯送下或加樗皮即椿樹皮去粗皮滑石青黛黄栢用

新尾煆半斤加各一刄

玉餅子　治小児吐泄驚癖乳食不消肚脹朝熱嗽急慢驚風痢疾諸症

半夏大者十二个　巴豆五十粒去殻另研去油　滑石一刄水飛过

寒食面一刄

右為末滴水為如菉豆大捏作餅每服五七箇或十一箇姜湯送下自宜加减

飲食所忌 并解毒

猪肉忌羊肝　牛腸忌犬肉　雄鷄生葱　麥醋
茯苓　鯉魚忌天門冬　青魚忌胡荽　鱉忌莧
孕婦忌鴨子桑椹羊肉細辛桔梗半夏
酒醉不醒急用豆粉冷水灌下
魚骨刺喉急搗苧麻根丸如龍眼大魚刺魚湯鷄骨
鷄湯吞下　馬肝毒取鼠糞十四枚冷水服　六畜
鳥獸毒飲豆豉汁數盞或水調竈心土　牛肉毒飲
甘草汁一二盞　羊肉毒亦同　各物毒急吐頭垢
一棗核大或清油多服　鵝鴨毒糯米油水多服一

河豚毒清油灌吐盡方可或灌藍汁　狗肉毒杏仁三兩搗爛分三分每次熱湯調下　自死六畜毒黄栢末服一二矛未解再服

解藥毒

藜芦毒煮葱汁服　班猫毒搗澤蘭汁服　合口椒毒飲新汲水　雄黄毒煎防巴湯服　大戟毒搗菖蒲汁服　鈎吻毒煮桂汁服　天雄烏頭附子毒煮黑豆濃汁服　巴豆毒煮黄連汁服　砒毒麻油灌或糞清灌或釅醋飲之　百蠱白雞鴨血嚾良　或煮連翹汁服　諸毒濃煎升麻汁服　或水調生葛粉　或水調菉豆粉服

神農煮針法

乳香一钱 沒藥一钱 當歸酒洗 木通各子四去皮

三稜四钱 莪朮醋炒 細辛 石菖蒲七分

川烏 草烏 蒼朮米泔浸 川山甲酥炙

白芷 龍骨煅 虎骨酥炙 黑牽牛

黃連炒 黃芩炒 硫黃 白牽牛

射香制 陳皮去白 芍藥煨 羊骨髓酥油炙

酥油五钱 水五碗 無灰酒一桶 酒煮乾為度 又

将藥各為粗末 骨髓酒同煮 乾為度 埋在土中三

宿取出擦磨光滑 用油单紙包 加乇射香

散被毆班痕方

熟麻油　黄酒各二碗

同煎数沸服畢卧火烧熱地上一夜疼止消腫無褒有打傷人者仇家陰令術士以此治之次日驗

即無一毫傷痕

治肺風方　服後丸藥除根

白芷　流黄　輕粉各等分

再入大楓子俱為細末擦患神効

丸藥　梔子十兩　大黄五兩蒸　杏仁二兩去皮

右為末水丸粟米大每服五六分食遠滚白湯下

龍虎丹　治走注瘀或麻木不遂或半身痛

草烏　巻术制　白芷各一兩研粗末拌發熱盦過入後藥

乳香　没藥各三錢另研　牛膝去芦　當歸洗各五錢酒

右為末酒糊丸如彈子大每服一丸温酒化下

萆薢分清飲　治真元不足下焦虛寒白濁頻數無

度凝面如油光彩不定脚澄下漩如膏糊

益智　川萆薢　石菖蒲　烏藥各等分

右咀水鍾半塩一捻煎服　一方加茯苓甘草

敷藥膏　治瘰塊癧瘕屢驗

黑芝麻半升　血竭二錢　大黄二錢　吴茱萸二兩

乳香二乎五倍子四乃蓖麻半斤孩兒茶二乎

生桐油半斤調煎藥末作隔紙膏用針上眼貼

垷上外用熨斗熨之

平丸　治勞症咳嗽日久肺痿癰並宜噙服

天門　麥門各去心知母去毛皮貝母去心款花

杏仁各二乃當歸酒浸洗阿膠蛤粉炒生地酒洗黃連炒各半

蒲黃炒京墨煅桔梗去蘆薄荷去根一日射香少許

右爲末煉蜜丸如彈子大臨卧服用一丸噙於舌

上仰卧其藥流入肺竅

消化丸

白茯　枯礬　牙皂炙　陳皮　半夏

蒙石煅金色三兩　枳實　枳殼各半兩　南星　薄荷各二兩

右為末，神曲糊丸如桐子大，每服一百丸，上床時飴糖拌吞，次噙大平丸，二藥相功，痰嗽即除根。

香雄散　治風犬咬傷

射香當門子三分　雄黃三分

右為末，好酒調下，其毒從小便出，立愈。

長春不老神效湯　開胃理脾益氣清心之藥

烏梅去核一斤　甘草一斤　陳皮四兩　川椒楝去子四兩

蜂蜜半斤　大棗去核一斤

先將甘草用水三十二碗煮爛去渣下前五味

煮爛以磁罐裝之上下用俶末於上每日清晨

用米湯半碗入藥二三匙和勻服之神驗

治臭虫方

用蕎麥稭熬水澆淋其虫即死

治鵝掌風方

黄連　黄栢各兩　防風　荆芥穗　等分

右為粗末煎滚水先將圓桶洗淨次將藥湯入

圓桶内熏洗如此二次即好甚者三次神効

扶氣散方　治男子婦人一切氣急理脾胃進飲食

服此藥補矣常服扶元必先於此服之
南星一斤 半夏一斤 生姜一斤 明礬一斤
大皂角一斤 石用藥水浸一七水高二寸文武火
寅時煮到申時水乾揀去皂角生姜同搗如泥捏
作薄餅晒乾天陰火烘乾四兩余乾晋
山查四兩 神曲炒四兩 白芥子四兩 杏仁去皮尖
萝白子 紫蘇子 大麥芽炒 青皮去穰
陳皮去白 香附子 白茯苓去皮 黃芩炒各四兩
白朮炒 枳實各五兩 人參去芦 沉香各一兩
右為末同藥和匀滚水泡蒸餅為丸如梧子大每

服五十丸湯下不拘男婦服之痰喘甚者　加

兵榔牽牛尤妙

返魂漿方　治経回乳神効

霹靂子（乾者一分　即蟣子）　紫礦（一分　即血竭）

右為末用麻黄濃煎汁少拌酒鍾將阿膠一小片

用下酒内頓一面旋磨令枯為度以汁調藥末

為丸如菉豆大每服七丸先一日服次日再服

治咽喉方

治喉内生肉重〻起不痛日久有穢出臭氣不可

聞者并飲食不進

用臭橙葉煎濃湯服先噙後嚥連進數服效驗如神

救荒济生方

蒼朮一斤米泔水浸七日　芝麻一斤去皮

白茯苓酒浸三日去皮　晋束一斤去核焙乾

共為細末煉蜜和成一塊預防年荒或遠行如渴飲水忌食熱物若要吃飯先吃熱米湯一二碗解散前藥方可通行甚効

治大人小兒腹內有虫

用使君子一兩　兵榔一兩　雄黄五分

右為末每服一分大人一分俱用練樹根煎調服其蟲從大便出神效

消癭奇方

用豬掩子七箇　南水酒曲一分

右為末三分入壺内水一碗煮一炷香取出露一宿掩子食之重煮

神効二仙散

治小兒頭面脚手生瘡

官粉一兩　雄黄

為末香酒調攤碗内搽氏藥用艾水勳洗搽藥

螽斯種子丸

巴戟　何首烏（米泔浸）　兎絲子（酒浸焙）　黃栢（各二兩炒）

知母（去毛皮）　肉從蓉（去心）　枸杞子　當歸（各一兩）

茯神（去皮心）　山茱萸（各半兩）　生地黃（二兩酒洗）　牛膝（去芦）

芡實　麥門冬（各一兩去心）　破故紙（七錢炒）　益智（去皮）

人參　大芦条（五錢）

右為末煉蜜為丸如梧子大每服八九十丸空心淡塩湯送下

補精益腎丸　昔袁州府同知李南崗癸婦常服之乙丙丁年連生三子後傳施於衆皆真有奇効

雖一毋不生者服此亦驗

白芍煨一兩　菟絲子酒浸焙一兩　陳皮去白一兩　厚朴薑炒一兩去粗皮

白茯去皮一兩　枸杞子一兩　黃栢炒一兩　當歸身酒浸一兩

白朮去蘆去炒　山茱萸去核各一兩　人參少用　甘草去皮三分

牛膝一兩　肉蓯蓉一兩酒洗去心　續斷一兩　杜仲炒去絲

熟地黃一兩　為細末

隨藥加減以一兩為率煉蜜為丸如梧桐子大每

服八九十丸空心淡鹽湯送下

如肺熱者不用人參或入二三分

此方得之異人屢試果有奇驗

灵盖散

治諸頑瘡不收口并癬瘡用諸藥不効搽上此藥立瘉

黄栢（炒壹兩） 輕粉（一錢二分） 灵盖（煅為細末二分）

血竭（六分） 片脑（半分）

右為細末用猪胆調搽患處神効

觧酒散

如人不能飲酒用此藥服一二匙可飲千杯不醉効驗如神

赤小豆 葛花（如無葛花用葛根粉代） 菉豆粉（各等分）

右為末每末飲酒先服一二匙神驗

玉容散

治諸風酒刺鸛瘢黯一之症

鷹條（乙兩用野鷹老佳）　白芨（一刄去額者佳）　梹榔（雞心者佳各乙刄）

朝腦（一分）　三柰（三分）　甘松（五分）

北細辛（四分）　川白芷（五分）　鉛粉（五分）

皂角（五分）　酥合香（五分）　菉豆粉（三两）

右為末散洗之或用紅棗肉為丸如彈子大每目清晨於手內搓之洗面至一二月其面一白光彩如玉一法加去一弦肥皂蒸過一九九妙

又方王容粉法

治女人面生粉刺及雀斑冬月面不凍每日抹面光彩如紅玉

真鉛粉一刄 以石細嫩者去土皮一刄為細末 好官胭脂二片用酒浸透細汁所用 人乳汁半杯 陳皮茶拘芽头浸酒二杯去陳皮用酒 白附子五分去皮為末

右將鉛粉活石附子末和乳蜜胭脂陳皮酒一處擂乱和匀每日抹面極妙

醫門秘旨十四卷終

醫門秘旨卷之十五

俍陳明

秋石賦

秋者自白而称禾矣石者曰剛以名之也蹉自九萬之里生當一斤之期金水既分鉛銀以彰于有像子母作見黑白以成于混儀原其為物自精化䰟遇陜火而始飛到金鄉而变白初离銀礦隨黃雀入于天河才逐蟾宮遂清風流於地脉諒以歆乾清汞全伏白金子歆親而恋母陽要離而去陰貫满則盈仙傳制伏之法精至必耽勤憂損益之心異哉半桓方中

一阳初起赤白而相照運真水而清泄廻從尾冗少着黑鉛之形流至中央已成紫金之体豈不以皃氣之母五味之精耿司馬牙之宝期立刀圭之名若嫁阿郎要在子孫而相見如婚姹女須假翁婆而曲成是以歆保於金生先精於莽素汞遇鉛兮不起土得水而相輔色瑩如玉自淮南而殊名性急如龍曰神農而假喻美哉至精至净純柔純剛龍虎并分于卯酉际队盛滿于中秋輕清上徹于泥丸形如朱鳳重濁下降于華盖体若素流所以脩養於還丹貴自于金石枉將内室以輕弃却取似珍而貴惜可怜天地

之全身返作三尸之屋宅矣

阳煉秋石

側栢葉数技皂角一二片童便一担加水乙桶順撹去沫去滓晋清不計多少用鍋熬乾将刀研起先用黄泥色固磺一个入熬黑物於内封口打火三炷香先文後武取出冷定為未將滚水泡化入厚綿紙六七層濾過熬乾晒一七听用再入泥固磺打過文武二炷香可以久收

阴煉秋石

用皂角煎水一二撹入童便缸内撹停少時加清

水攪如此攪一次去濁沫再加水攪又去如此数番徐徐去上面清水底下凝結如粉水用地灰將帋鋪上凝結者傾于紙上少頃乾收听用

陽煉紫河車

用初生男子胎衣一具先用長流水洗淨又用米泔水洗淨再用無灰酒洗淨放新瓦上徐徐用火烘乾將竹筯番調忌鐵器不可焦焦則入藥不効重一兩或九錢方是首生如多不是首生

陰煉紫河車

用首生胎衣一具照前洗淨先酒乳炒川黃柏豆

末將胎衣入石臼内搗爛徐徐添黄栢末以乾爲度研末所用忌鉄器

阳煉蜂蜜

用生蜂蜜乙斤以木四两同入銅鍋内先文後武煉之蜜内泡黄色以筯蘸蜜滴水成珠不散爲度

阴煉峰蜜

用好蜜不拘多少入碗内不用水入重湯頓將火涂徐燒水碗内蜜沸滴水成朱爲度

煉阳起石

用真阳起石煆紅研爲細末入固济罐内上用鉄

灯盞盖頭封口盞内用水如乾搽盞打火先文後武三炷香尽取出升起者入藥用此 医家多不知制法故不驗也

青礞石

用青礞石四两内有自然銅者真先将家石打碎放鍋鉄上煅紅陸續下焰硝久煉取出以手碾細為度如不碎用硝再煅硝不可太多多則傷藥

煉芦甘石

用羊腦芦甘石不拘多少去石 入火煅紅先将黄連黄柏黄芩防風荊芥薄荷等分煎濃湯去渣 入

紅芦甘淬数次俱碎在藥汁内為度去炭石同藥汁煆乾听用

煉鍾乳粉

用石鍾乳不拘多少煉紅入磁盆内以童便淬之如不碎再煉再燒如此三次研為末乃鍾乳粉也

煉玄明粉

冬月極寒時用朴硝乙百斤大皂角三五十根蘿蔔十斤切片同入鍋内以水滿鍋熬數十沸濾入木盆内过夜生出牙硝取起又入鍋約有五十斤加白蘿白五六斤切片同入鍋以水滿熬數沸入

桶过夜取起約有三四十斤用豆腐三四斤成片入鍋内水煮数沸取出入盆過夜取起為粉入固済礶行火三炷香配甘草則為玄明粉也

制造門

制半夏法　半夏一斤　白凡四两　皮硝四两

用水十大碗煮滚入磁盆内候前三味入内攪匀晒数日一日攪数次待嘗半夏心中不麻為度去前水換新水清浸之如前法日攪数次待半夏心中不白為度一日常換水二三次如法取起扎每一斤入薄荷三兩甘草二两或三两任用

製香附訣

香附主氣分之藥香能竄苦能降推陳致新諸書皆云益氣而借有耗氣之訛女科之專藥也治本病畧炒兼血以酒煮痰以姜汁虚以童便浸实以盐水煮積以醋浸水煮婦人血用事氣行則無疾老人精枯血閉惟氣是資小兒氣充形乃日婴大凡有病則氣滞而餒故香附余氣分為君藥世所罕知佐以木香散滞泄肺以沉香無不降以小茴香可行經絡而盐炒則補腎開元氣香附為君黃芪為臣甘草為佐治虚怯甚速佐以厚朴之類决

壅用三稜之類攻其甚者予嘗避諸藥之熱而用檀香佐附流動諸氣極妙

制當歸

當歸主血分之病川産力剛可攻秦産力柔可補凡用本病酒制而痰独以姜汁浸透導血歸源之理熟地黄亦然血虛以人參石脂為佐血熱以生地黄條芩不絶生化之源血積配以大黄婦人形肥血化為痰二味姜汁浸佐以利水道藥要知血藥不能舍當歸故古方四物湯以為君藥則為臣地黄分生熟為佐芎為使可與要云

藥性制宁有製歌

芫花本利水　無醋不能通　菉豆本觧毒
帶壳不見功　豆蔻大止瀉　有油反又通
住瀉用白术　還當一去油　草果消膨脹
連壳反脹胞　黑丑生利水　遠志苗有毒
蒲黄生通血　熟補血運通　地榆医血藥
連稍不住紅　陳皮專理氣　連白補脾中
附子救陈藥　生用走皮風　草烏觧嵐瘴
生用使人蒙　人言燒过用　赭石火煉紅
入醋能為末　制度必須工　川烏炒去汗

生用去痺風　後學要精理　藥灵莫妄攻

造神麴法

六月六日乃諸神聚会日也非此日不為神麴用灰麵十斤赤小豆四合杏仁三合去皮尖共為細末同麵拌匀入小蓼汁二椀蒼耳草青蒿汁各一椀和匀為粑於缸内似合麴一般待黄毛生十月取出晒乾听用

造鹿角膠霜法

用鹿角剉為一寸不拘多少於長流水浸五七日刮去粗皮入砂鍋桑柴火煮水乾再添熱水内用

桑柴撓不絶火以角手、捻如粉為度其角名霜其
汁再熬乾即鹿角膏也

造紫霞盃法

用浮萍煎湯五六桃将硫黄四两入内熬一炷香
竟硫氣稍除為度先用做柸木模将制過硫黄傾
入以朝脑搽於杯外面用紙包之臨用以酒傾入
过夜服之固阳久戰有驗

造硃砂盃法

用硃砂四两為細末入白蠟生化開入砂末即入
木模内成盃以酒於内服之安神清心屡驗、

造玉露霜法

用豆粉乙斤龍脑薄荷半斤去梗用烏梅水洗净鋪於蒸籠槅上上用粉鋪之粉一層薄荷一層如此粉尽葉完為度蒸一炷香去薄荷不用如粉乙斤入柿霜半斤或毛糖亦可共一處和匀即玉霜

造百藥煎法

用五倍子二三斤打碎去枝梗虫净如豆大小塊入瓦礶内却用大瓦礶煎十分滚水入茶葉一大把再滚不必濃煎要清些即傾入倍子内淬過一揩其滚水要一起傾入不可陸續下先作一草窩

放磚在内又将草厚盖一夜取出将磚相八倒翻
轉按平如前煎茶一礶傾入不必淹过只要浸透
又放草窩内单盖一夜取出捏作鵞蛋大丸又用
白酒麯為末摻上為衣用新稻草厚鋪底将丸勻
擺草上厚草盖之仍将草薦盖之要大熱過三日
以手探之四邊大熱翻轉再過四日共七日足取
出吊陰處三四日却晒大乾听用

造聖蠟烛法

槐角二斤八月收 白膠香一斤 硫黄四两先将槐角手
搗碎用砂鍋化開膠香次入槐角末次下硫黄末

用槐枝攪匀以竹筒長七八寸粗如大指者浇香汁於内待凝結則去筒每一枝可點六十日

○炮炙門

諸藥煅煉炮炙其中有為伏性者有為去毒者有為引経絡者其法不同其理不一各有所説不可一例而拘之耳且如騰経絡者則用酒浸酒洗酒炒之属伏性者則火煅火炮火煨之類潤燥者則用蜜炙酥

炙袪毒者則用便煮醋煮引経者則用塩水香湯補益者則用人乳羊涉䟽通者油炒佐長流之水開導者姜汁繼萊菔之湯䟽之味也若斯之槩各從其黨當審詳之

炮炙法

川黃栢去粗皮乳拌炒一分塩水浸炒一分酒浸炒一分童便浸炒一分分為四制下部補藥

肥知母去皮毛塩水浸炒塩酒浸炒補藥内用忌鉄器

天南星用土空乙窩火燒紅用米醋澆上將南星片入内蒸半時取出晒用

真磁石大煆紅好醋淬不碎又煆又淬如此七次　又法用稻草灰和泥包之外用鹽包入火煆火去泥用

蒸熟地用懷慶生地不拘多少以酒浸洗入瓶甑内蒸一次晒一次如此九蒸九晒心黑為度忌鉄器

大黃蒸 用酒浸一遍蒸一遍晒一遍如此九次以黑為度忌鐵器生者用入行藥

何首烏 用米泔水浸去皮要赤白雌雄九蒸九晒忌鐵

女真實 用無灰酒一次蒸一次如此九次听用

大附子 用童便浸煮以殺其毒

石决明 用塩調水煮数沸研粉用

兎系手 用酒浸蒸晒乾听用

廣陳皮 去白塩水浸晒乾發藥多用

敗龜板 用童便浸酥灸去筋膜

松香 不拘多少用長流水淋桑柴灰汁煮拔三次甚則七八次又用無灰好酒煮拔二次完則用長流水煮拔一次白味不苦澁為度晾干听用

黃連去鬚毛炒上騰酒炒餘生炒褐色為度　半夏薑水泡七次听用

蒲黃炒黑止血生用破血　蒼术米泔浸一宿焙乾

阿膠剉片用蛤粉炒成珠　枳殼麩炒七次俱去穰

莪术乙味用紙包醋浸煨透　杜仲酥炙炒斷糸為度

遠志去骨用甘草煎湯煮过　肉蓯蓉酒浸酒拌炒去心

瓜蔞仁用紙層層包裹細搥去油尽成双听用　蕤仁如瓜蔞仁制法

巴豆亦如前制法　枳實麩炒七次

厚朴姜汁拌炒　姜蚕炒去糸用

白术土炒去油　鱉甲醋浸酥炙

珎珠用白豆腐窀一孔入珠在內上以腐盖煮數沸用珠　琥珀制法同上

黄芪蜜炙　川山甲酥炙　五加皮酒炒

三稜去皮毛醋温紙包煨　杏仁去皮尖雙者殺人　桃仁各去皮尖用

槐角　槐花　黄芩

牽牛　神麯　破故紙

郁李仁　白蒺藜以上俱炒　牡蛎

龍骨　石蟹　海石

石燕俱火煆

阳制白茯堅白者不拘多少去皮膜切片入乳晒乾用浸每晒每斤重二斤為度

阴制白茯紫白者不拘多少去皮膜切片為末將井花水澄過五七次必將筋膜撈淨取澄水陰乾

藥性拾遺

蘆甘石味甘辛氣平性溫陽中之陰無毒去翳障祛爛眩明目生肌斂口散血驅風熱收冷淚藥

孩兒茶出烏定國乃烏定海之細泥也味苦甘氣溫平性良無毒觧酒熱止煩渴凉肌表散客熱行污濁之血散瘡結之熱生肌斂口散火之藥

三七草共本出廣西七葉三枝故此為名用根類香白芷味甘氣辛溫性微凉阳中之阴散血凉血治金瘡刀斧傷立効又治吐衄崩漏之疾邊上将官宝之為珎如有傷處口嚼吞水渣敷患處即安血症之奇藥也

千年矮其本不過尺其梗似銀皮包八月開小花白色五瓣兼对了如小杏葉樣生深山幽僻之處味辛苦氣寒平性涼阴中之阳無毒辛能散火苦能涼血治瘀血止吐衄愈血崩疾人服之屢有神驗乃血疾中聖藥也長者為滿天星其形相類不可入藥也根治癥瘕久服下完塊

靈山柴即新生小兒臍帶已落下者味甘氣香性溫無毒行滯氣破惡血去胎毒益元氣長精髓如此柴一錢焙乾存性加辰砂五分同研細末甘草汁調搽乳上徐徐令月內之兒服之無痘

極稀可保無他患也

一枝箭一名雞翅茵其梗紫色葉对節生七八月間果紅如椒狀内有黑目嫩葉極紅如秋葉経霜風葉樣山上處処有之味辛氣微温性平無毒陜中之脉行氣血散污浊走経絡除邪氣解毒熱攻腫毒袪疔瘡散初起發背并無名腫毒其効如鼓應桴先用葉一大撮葱五根姜五片入酒擣爛用滚白酒冲入去渣服將渣敷患処取汗出即安　一周亥誤食牛肉生疔於嘴上立時腫起緩則不可救服此即消是其驗也

牛荆条莖梗多直色灰葉佀柳葉稍長大山中処處有之又一種短不大条倡名曰黄荆烧瀝入藥治痰味甘苦氣微寒性凉無毒陰中之陽能散火凉血熱瀉肺火散腫毒初起小瘡癤為末凉茶調敷即散退皮毛之邪熱

半边蓮味苦辛氣平性凉阳中之阴解瘡毒治蛇傷療疔瘡發背無名腫毒先用酒擣次用滚酒冲入去渣渣敷患処服酒取汗即効傍田埂生開銀紅花佀邊半边故名之

箭頭草味苦氣寒性凉無毒阴中之陽解瘡毒行

濁血走經絡入煎劑則能治疠風田塍边多生

其葉如披頭煎様

𫚚白草氣辛味辣性温無毒队中之队也其葉上

半白梗方類小樹傍水澗多有之端午取者良

辛以散之治諸瘡用熱酒佐以發汗温以和之

祛吐血用凉藥佐之以愈紅治一切无名腫毒

疔瘡渾身疥癩瘙痒寒熱癧疾吐血衂血之症

及温熱脚氣之疾而立愈

醫門秘旨卷之十五終

醫門秘旨後序

醫門秘旨古皖鈞亭張先生所集也盛哉之廣仁術矣嘗稽靈樞素問青囊金匱可謂醫家之六經別集者無容於其間也然古今異時南北殊氣雖合宜用方或不免于執一闘有藥效活法而心私獨功秘其旨而弗傳焉者多矣意無怪夫古今人之不相及也鈞亭以儒而醫醫且甚精無俟

三九之折而獨擅名家卓爲医流之絕響且無論貴賤無論貧富無論遠邇凡以疾而求劑罔不劑之劑無不愈者矣江東民咸吕安危托公爲公嘗云藥之活人僅一鄉一邑一時之惠而已求其傳施久遠未能也乃集所見聞之秘旨彙以成帙題曰醫門秘旨以廣傳焉俾窮鄉遠土悉得檢方按劑以收回春之功鋳亭之仁其溥矣

則斯集也寧不與聖醫之六經並垂永哉若公殆岐黃盧扁之忠臣也耶吁嘻古人活鵲活蟻福受上報是集之行不特鵲蟻之活而已其報有不大過宋王二子者乎書就梓委山人跋之山人豈徒跋也葢欲覽斯集者當知鈞亭之行仁猶當知鈞亭日積歲累之苦心云爾

旹

萬曆戊寅歲菊月望日楚虎源竹墟山人

唐詩書

醫門秘旨後序畢